CB082512

NA OUTRA MARGEM, O LEVIATÃ
CRISTHIANO AGUIAR

Lote 42

Copyright ©2018 by LOTE 42 para a presente edição
Copyright ©2018 by CRISTHIANO AGUIAR

Todos os direitos reservados. Nenhuma parte desta edição pode ser utilizada ou reproduzida nem apropriada ou estocada em sistema de banco de dados sem a expressa autorização da editora.

Texto fixado conforme as regras do novo Acordo Ortográfico da Língua Portuguesa (Decreto Legislativo no 54, de 1995).

Lote 42

Edição geral JOÃO VARELLA, CECILIA ARBOLAVE e THIAGO BLUMENTHAL
Projeto gráfico GUSTAVO PIQUEIRA | CASA REX
Preparação TARCILA LUCENA | PALIMPSESTO SERVIÇOS EDITORIAIS
Revisão BRUNA MARTINELLI

1ª edição, 2018

DADOS INTERNACIONAIS DE CATALOGAÇÃO NA PUBLICAÇÃO (CIP) DE ACORDO COM ISBD

A282n	Aguiar, Cristhiano
	Na outra margem, o Leviatã / Cristhiano Aguiar. – São Paulo : Lote 42, 2018.
	112 p. ; 14cm x 21cm.
	Inclui índice.
	ISBN: 978-85-66740-33-2
	1. Literatura brasileira. 2. Narrativas. 3. Realismo. 4. Fantasia. I. Título.
	CDD 869.8992
2018-175	CDU 821.134.3(81)

Elaborado por Vagner Rodolfo da Silva | CRB-8/9410

"NA OUTRA MARGEM, O LEVIATÃ" É O LIVRO Nº 30 DA LOTE 42.
lote42.com.br
@Lote42

"Todas a la vez, las palomas, en un sobresalto
brusco, se echan a volar en círculo, llenando
el aire negro con el rumor de sus alas y de
sus palpitaciones veloces, en las que me
parece adivinar la descarga mecánica de los
borbotones de pánico que genera, en sus
cerebros diminutos, la presencia inesperada
y extranjera, "mi" presencia, que no es
para mí mismo, en la oscuridad del parque,
menos incomprensible y extraña."

JUAN JOSÉ SAER, LO IMBORRABLE

"Tendo-a achado o Anjo do Senhor junto a
uma fonte de água no deserto, junto à fonte
no caminho de Sur, disse-lhe:"

GÊNESIS

"Ah, que tú escapes en el instante
En el que ya habías alcanzado
tu definición mejor."

JOSÉ LEZAMA LIMA

13 **MINIATURA**   23 **RECORTES DE HANNAH**
35 **O LABORATÓRIO DO SENHOR MOSCH TERPIN**
47 **OS RECÉM-NASCIDOS**   67 **TERESA**
83 **DESAPARECIDO**   93 **LEVIATÃ**

MINIATURA

UM PIANO NO DOMINGO
Ouvi o som de um piano no domingo passado. Abandonei o que fazia, fiquei imóvel: a música vinha do meu prédio, ou de algum edifício vizinho? Concluí que o musicista, se de fato a música existia, estava nas imediações. Sempre escutei muito mais canções, em especial o rock and roll, portanto não podia julgar se aquilo que ouvia se tratava de uma boa execução. Desconfiei, contudo, de uma perda de foco na performance. As teclas eram apertadas com força demais? Quase reconheci o que era tocado. Uma música de dúvidas.
Fui à janela, botei a cabeça para fora. No prédio da frente, vi uma mulher negra, baixa, vestido branco, limpando uma janela. Em outro apartamento do mesmo

prédio, um senhor branco, quipá em sua cabeça, mantinha, sentado em uma cadeira de rodas, o olhar na rua logo abaixo. Um andar transformado em um quadro de Portinari; o outro, em um Hopper. E nada de achar o piano.

Primeiro, julguei se tratar de algum morador do meu prédio. Depois, concluí que o pianista tocava de outro local, porém não parava de me perguntar: moro neste endereço faz alguns anos, por que nunca tinha ouvido esse piano antes? Seria uma gravação? Não pode ser.

A música me remetia a alguém calorosamente compartilhando sua arte com todos nós; ou alguém atormentado por fantasmas e demônios interiores, buscando libertação a todo custo. Pensei primeiro em uma jovem com vestido de noiva (tinha que ser assim); em seguida, em uma senhora com quase 90 anos, uma dessas velhinhas que encontramos em documentários de sobreviventes da Segunda Guerra Mundial; por fim, a pessoa executando a música voltou a ser um homem, trajando cartola e paletó.

Então, me lembrei de dois versos: "Soltaram os pianos na planície deserta/ Onde as sombras dos pássaros vêm beber". Fechei a memória e voltei para a janela, senti a urgência de rever tanto a mulher esfregando o vidro da janela, quanto o velho observando a rua. Havia algo que eu quase pude manipular; quem sabe uma forma de esclarecimento... Mas as janelas dos dois andares estavam cerradas e opacas. Talvez nunca tivesse havido alguém nelas? E o quarteirão voltava ao silêncio.

A TUA PRESENÇA

Decidimos sentar em uma das esquinas da Santa Cecília, embora naquele momento já tivéssemos perdido o interesse um pelo outro. Deveria ter sido um encontro perfeito. Luana era de uma beleza morena, cacheada, ao som de "paralisa meu momento em que tudo começa". Pernambucana, morava há anos em São Paulo com a avó. Trabalhava como produtora para agências de publicidade, galerias de arte, músicos.

Sentados, pedimos acarajés e uma Serramalte. Comentou que acabava de ter um vislumbre do que era de fato estar em São Paulo. Insisti para que me explicasse e ela não conseguiu. Falou de um aqui, "mas não tô falando esse *aqui*, Lucas, não nós dois sentados numa calçada bebendo e daí pagando a conta neste bar". Para encerrar o assunto, fez um gesto. Então a tarde abafada se expandiu, porque Luana se transformou, durante um segundo, em outra pessoa, uma mulher ausente. O fato mistura presente e passado. Você me pede para descrever o gesto; você me pede mais informações a respeito da mulher que Luana me obrigou a recordar. Só consigo tirar, ao acaso, peças polidas, sólidas, do baú (e elas são para mim quase tão desconhecidas quanto uma fileira de formiguinhas): um bloco de Carnaval; jogos amorosos; seios pequenos e um delicioso sofrimento; uma flor de papel; cartões-postais; separação.

Luana, calada, me observava. Gotículas de suor cobriam o seu rosto. Me "observava", acabei de dizer? Errado. Seus olhos buscavam uma presença qualquer e esta presença não estava nem em mim, nem naquela rua. Será que alguma palavra minha, ou mesmo meu corpo, também a fizeram lembrar alguém? Ou eu estava, como é bem mais provável, apenas atrapalhando, um intruso no meio do caminho de uma investigação? Sem dizer mais nada, bebemos o resto da cerveja; o silêncio não foi constrangedor, porque não havia tempo para esse tipo de coisa. Gotas grossas começaram a cair, embora o sol estivesse à vista, maduro. Um bafo subiu das pedras e do asfalto. Duas paisagens semelhantes, duas paisagens nos mantinham aprisionados. Quando um dos dois – quem? – conseguiu pedir a conta, nos despedimos sem tropeços.

Naturae

Faustine não deixava de observar a si própria: a principal moldura para suas manhãs sempre ao sair para o trabalho, diante do espelho do elevador.

Naquele dia, porém, Faustine não enxergou a sua imagem habitual. Uma rachadura, que começara na base, ocupava boa parte da superfície. As linhas nervosas apareceram de um mesmo ponto e se afastavam umas das outras até chegarem ao topo. A impressão que Faustine teve foi a de enxergar o raio-X de uma mão monstruosa, mão das madrinhas malvadas dos contos de fadas. Alguém gentilmente tinha coberto cada rachadura com duas camadas de fita adesiva. Precauções da síndica, talvez. Uma criança, brincando, entrou com tudo, ou tropeçou, sabe lá Deus, batendo a cabeça com força no vidro? Um casal teria iniciado uma discussão e um deles metera uma cacetada no espelho? Uma mudança e algum objeto escorregara, no processo de retirada, se chocando com o vidro?

Por outro lado, poderia não haver causa alguma. Ou, ao menos, uma causa que fosse visível. A rachadura teria *nascido*? Se nasceu, significa que, durante semanas, ou anos, um conjunto de forças, silenciosas às percepções, agiram umas contra as outras enquanto o elevador desempenhava seu diário trabalho a serviço dos moradores e visitantes do edifício Hannah. A pressão do ar, os puxões da gravidade, o peso... As leis naturais forçaram, desconjuntaram, exigiram do espelho o pagamento de um tributo, que nada mais era do que uma desistência. A cada dia, uma doação. Uma pequena descida. Até chegarmos ao estilhaço. E por que o espelho não desmoronou por completo? Por que não virou, como escreveu um poeta, um bocado de tempo atrás, "caos, massa indigesta, rude"? Complicadas equações, gráficos e vetores poderiam se materializar diante dos olhos de Faustine, dando a explicação exata.

No entanto, as portas acabavam de se abrir e o dia empurrou Faustine em direção à cidade agitada. Até porque a rachadura pode ter *surgido*, e não nascido. Surgir: assim, em um piscar de olhos. Um milagre na Terra, um milagre humilde, a quem ninguém, nem nossa amiga, tinha prestado atenção. Ou, o que seria mais terrível, a rachadura sempre existiu ali. Como um portão cravado na manhã, como um cão de três cabeças, um anjo exterminador; um anjo, a espada flamejante, impedindo chegadas e partidas.

Trappist-1

O avental cobria sua farda. O logotipo do shopping center na altura do peito. Uma vassoura.

Com a barriga encostada na bancada do banheiro, o faxineiro lutava contra o sono quando Lucas Motta entrou ali, após voltar de uma caminhada na Paulista com Natanael e Faustine. Quanto às conversas, o de sempre. O Ocaso do Sistema Artístico e Intelectual, a esquerda e a direita, álbuns de rock, impeachment. O mais falante foi Natanael, sem dúvidas, gesticulando muito e não perdoando a integridade moral de nenhum ser vivente, em especial dos "esquerdopatas"; Faustine discordava de forma impaciente e cortante, mas no fim tudo lhe parecia ser uma piada de mau gosto; Lucas tentava ser mais otimista em meio a tantos acontecimentos recentes. Mas não procurava opinar de fato, nem apoiar totalmente as perspectivas de seus dois amigos; no fundo, ele gostava não só de debater ideias, mas em especial fazer malabarismos no meio delas; ele se enxergava tal qual aqueles garçons a que assistimos em *reality shows*, ou nas competições de festas de bairros, aqueles tipos que competem, por exemplo, em desafios de equilibrar os pratos. No seu caso, cada resto de comida era uma ideologia.

Natanael e Faustine se despediram dele e desceram a Consolação em direção ao Edifício Hannah. Lucas, por outro lado, decidiu engrandecer seu capital intelectual dentro de uma das livrarias da região. Após algumas horas, o capital não-intelectual lhe agradeceu: Lucas caminhava com novos livros dentro de duas sacolas feitas de material sustentável.

Atravessou a Angélica. Caminhou por quarteirões arborizados, prédios elegantes e cachorros. Dia seco, quente, mas nuvens escuras se acumulavam no céu. Foi quando Lucas então decidiu entrar em um shopping center à procura de três itens civilizatórios:
 a) ar-condicionado;
 b) guarda-chuva;
 c) sorvete.

Uma imagem, impressa na primeira página de um jornal exposto na banca de revistas da esquina do shopping, capturou a sua atenção: sete planetas, cada um de uma cor, flutuavam, posicionados em uma linha reta, em um pano de fundo escuro, que representava o espaço sideral. Na extremidade esquerda da imagem, uma bola de fogo, maior do que os planetas, brilhava. Cada um deles revelava, em meio às trevas, apenas parte de suas próprias faces.

Banheiro vazio, perfumado, iluminado. A porta de entrada dava acesso a um corredor e em ambos os lados havia um conjunto de pias e espelhos. À esquerda, uma entrada dava acesso aos mictórios e aparelhos sanitários. Os olhos do faxineiro estavam entreabertos e avermelhados; os lábios, meio tortos. Embora o seu olhar se dirigisse ao espelho, Lucas percebeu que o faxineiro não se enxergava, nem enxergava o banheiro.

E agora?

Qualquer movimentação ou barulho poderiam acordá-lo. Posicionou na pia, desajeitado, as sacolas com os livros. Cogitou segurar a porta do banheiro e impedir a entrada de outras pessoas, mas não parecia algo muito viável.

E o tempo passava. Ninguém entrou. Os dois ali ficaram, quietos.

A cabeça do faxineiro pendeu bruscamente e o queixo bateu na altura do peito; acordou, desnorteado. Ao perceber que havia um cliente ali dentro, quase deu um salto. Corrigiu a postura, agarrou o cabo da vassoura e pediu desculpas.

Lucas, por sua vez, ficou constrangido. Não sabia o que dizer, não sabia ao certo o que seria certo falar. Não, tudo bem, de boa, quis lhe dizer... E quem sou eu para dizer, para ordenar, para "permitir" que aquele senhor deveria ficar "de boa"? O faxineiro abriu uma torneira, molhou a mão e a esfregou na testa áspera, enxugando-a, em seguida, com rapidez. Quanto à vassoura, a segurou firme nas mãos; os olhos, escancarados, vermelhos, aguardavam instruções? Por fim, o faxineiro tirou do bolso seu melhor sorriso. Foi neste momento que o capital intelectual recém-adquirido por Lucas, mal posicionado na pia, despencou pelo chão.

— Deixa eu ajudar. — Falou o faxineiro, disposto.

— Não, não, não precisa, eu que derrubei...

Mas o faxineiro já se inclinava quando Lucas dispensou seu auxílio. Interpretando a frase como uma ordem, interrompeu-se e ficou de cócoras, os dedos abertos, encarando nosso amigo. Esse, por sua vez, balançou, vencido, a cabeça — e os dois recolheram os volumes.

— Ainda bem que tá tudo limpinho, limpinho.

— Dizia o faxineiro, apontando para o chão — Terminei quase agora.

Ao ver a capa de um dos livros comprados — um foguete atravessando o sistema solar — não resistiu e perguntou:

— O senhor é desses que acreditam que o homem foi pra Lua? Eu não acredito! — As mãos enfatizaram sua negativa. — Viu que acharam uns planetas? Dizem que pode ter água, gelo, pode ter uns ETs... O senhor acredita?

Ele riu. Lucas o acompanhou.

— São sete planetas. Sete. — O faxineiro continuou. — É uma coisa incrível... Às vezes acredito, às vezes não. Vivo lendo essas coisas... — A última frase soou como um pedido de desculpas.

Lucas perguntou onde ficavam os planetas. Comentou da capa do jornal, que vira minutos antes. Será que dava pra chegar lá? Aquela foi a deixa. Do bolso do avental, o faxineiro tirou a mesma reportagem e a mostrou para Lucas, apontando uma frase em especial:

— Veja, aí diz que pra ir lá ia levar uns 700 mil anos pra gente chegar! Pra mim tanto faz 700 ou 70... — E moveu os braços como se quisesse abraçar o próprio tempo. Os espelhos do banheiro pareciam multiplicar o seu abraço infinitamente.

Com os livros recolhidos, Lucas agradeceu, e cogitou dar uma gorjeta, contudo achou inapropriado para o momento.

Após urinar e lavar as mãos, voltou a agradecer e saiu.

O homem voltou a encostar-se ao balcão. Observou novamente a reportagem sobre os planetas. A trama celeste, a gigantesca estrela vermelha, a lenta dança do sistema planetário; uma luz extraterrestre que banha águas frias, que emanam um leve brilho azulado... Ouviu um rangido na porta de entrada do banheiro; amassou a reportagem, jogou-a no lixo, conferiu a si mesmo no espelho — penteado, farda e avental em ordem.

RECORTES DE HANNAH

Presos no elevador do edifício Hannah, Lucas e Lina.
— O porteiro disse que vão resolver logo. — Ele disse, após colocar o interfone no gancho. Tudo escuro. As linhas de luz branca, vazando das frestas da porta do elevador.

Momentos antes, esperavam o elevador no hall de entrada do Hannah. Trocaram olhares durante a espera. Observando o painel antigo do elevador, Lina imaginava a si mesma mais alta; seus cabelos, castanhos e longos, lhe pareciam mais volumosos. Quando a campainha do elevador soou e as portas se abriram, o espelho sumiu.

Lucas apertou no décimo andar e Lina ficou quieta.
— Qual é o seu andar?
— Oitavo... Grata.

De repente, um solavanco sacudiu seus corpos. O susto coincidiu com o escuro.

— Tudo bem? — Lucas quase esticou o braço na direção dela.

— Que azar, hein? Será que demora?

— Deixa eu falar aqui com ele. — E tateou até encontrar o interfone. A voz do outro lado da linha surgiu impregnada de ecos, ruídos.

Ela passou a mexer no celular. Lucas a observava, protegido. Os traços do rosto dela o fizeram pensar em algum país do Leste Europeu. Uma pintura que tinha visto no dia anterior — uma *madona*. O cenário do quadro, sombrio, continha um desfiladeiro, pedras e a sugestão de um oceano; em primeiro plano, um livro aberto descansava sobre um crânio, cuja nuca se virava na direção do visitante. No centro, ocupando quase toda a tela, a madona. Parecida com Lina, porém os da santa eram cabelos mais claros e cacheados. Usava uma vestimenta azulada, meio solta, que revelava um pouco dos ombros, cotovelos e braços — além do desenho dos seios. Lina, o rosto abaixado, insistia com o celular; sua cópia, pintada séculos antes, mirava os céus com a boca entreaberta.

— Tá pegando sinal no seu? — Ela perguntou. — Geralmente nesse elevador não pega.

Ele retirou o celular do próprio bolso e neste momento Lina apagou o dela, guardando-o.

— Você mora aqui?

— Não. — Tentou avaliá-lo à luz do celular dele. — Estou hospedada aqui; é a segunda vez.

— Também não achei sinal. — Lucas desligou o aparelho. — Você é de onde? Seu sotaque...

Lina não respondeu. A voz dele, outra vez sem rosto, lhe causou desconforto. Como se não bastasse, escutou o corpo de Lucas se mexendo: o atrito do tênis dele com o chão, o som da sua mochila deslizando pela camiseta e calça jeans. Apertou, com as duas mãos, as alças da própria bolsa e a posicionou de modo a cobrir a região da barriga. Deu um passo para trás e se apoiou na parede. Lucas, no entanto, não se movia em sua direção. Pelo contrário, se sentou e abraçou os próprios joelhos.

— Goiás. Sou de Goiás. Mas não moro lá. E você... Pernambuco?

— Não, não. Embora tenha morado lá durante muito tempo. No Recife. Mas não sou de lá.

— Já morei em Pernambuco...

— É?

— Sim. No sertão. Trabalho pro Iphan.

— Sou do interior da Paraíba, na verdade.

— Conheço muitas cidades do seu Estado, também.

*

No escuro, ressurge a enfermeira, uma senhora de pele negra e rosto redondo, que abriu a porta do apartamento onde seu pai morava, na Rua do Boticário, e perguntou:

— Seu pai está acordando, você espera uns minutos?

Lina conferiu as horas.

— Quer uma água, um suco?

— Não, obrigada.

A enfermeira voltou ao quarto do pai. De braços cruzados, Lina ficou de pé no meio da sala minúscula. A atenção dela foi capturada por um conjunto de estantes escuras, feitas de madeira, ocupadas com medalhas e troféus. Primeiro, segundo, terceiro; ouro, prata e bronze: lá estava o nome dele, grafado sobre metal e plástico. Ficou ainda mais interessada em uma caótica aglomeração de fotografias e recortes de jornais e revistas. As imagens ocupavam boa parte de uma das paredes e nelas encontrou o pai alto, sorridente e bonito. Jovem. Os recortes e fotografias mais importantes estavam emoldurados. Ali, seu pai sempre vencia. E participava de comerciais, filmes, acompanhado com frequência por mulheres bonitas e famosas. Logo, Lina se deu conta. Tinha prometido a si mesma: "Não vou mais fazer mais isso".

Não procuraria. Nunca se rebaixaria a cobrar nada dele, porque é claro que não estava ali.

É claro que não deveria ter ido outra vez a São Paulo.

— Mais um momento! — Ouviu a voz dele.

Na parede, diferentes países, prédios, choupanas, mansões, carros, brindes em canecas e taças; fotos com a sua atual esposa. Lina fungou um pouco. O seu rosto, não seria uma indiscrição revelar, adquiriu a mesma expressão doída e resignada de meses atrás, quando retirava a maquiagem diante do espelho, após mais uma desilusão amorosa; o mesmo rubor na face e aquele gesto lento, afiação de navalha, do chumaço de algodão dissolvendo a máscara pintada na pele.

— Filha? — Perguntou o pai, sentado na cadeira de rodas empurrada pela enfermeira. No colo, as flores atrasadas.

*

— E você vem de onde? — Lina perguntou a Lucas.
— Ah, do Recife...
— Não, não. Agora, digo, você estava...?
— Lá no Butantã. Participei de uma entrevista a respeito de um projeto. Na verdade, estou aqui por causa de uma segunda entrevista. Pedi uma licença do meu emprego em Pernambuco e vou passar uma temporada pela cidade.
— Sei...
— Sim, nesse prédio moram Natanael e Faustine, eles dividem um apartamento no décimo andar. Tu conhece eles?
— Não.
— Eles estão precisando de uma terceira pessoa. Vim conhecer eles e o lugar, e tal.
— E agora estamos presos.
— É. E este elevador é o meu segundo engarrafamento da manhã.

*

Terminada a entrevista, Lucas esperou pelo coletivo que o levaria até a Rua da Consolação. Conseguiu, pelo menos, pegá-lo vazio. Sentado à janela, encostou a cabeça e adormeceu. Quando voltou a abrir os olhos, descobriu o pouco que o ônibus tinha avançado. Algo de si, após o cochilo de 15 minutos, certa energia, tinha sido doada à cidade.

Ouviu reclamações dos outros passageiros. Possuía uma vaga impressão de onde poderia estar – longe, porém, do destino final. No fim das contas, nada naquela rua sinuosa, apinhada de carros e de edificações ocupadas com comércios miúdos, soava muito diferente dos outros engarrafamentos e calores das tantas cidades nas quais tinha morado. Abriu a mochila e pegou o seu primeiro trabalho paulistano. O *freela* pagava pouco, mas lhe dava um senso de pertencimento. Ou melhor: Lucas se sentia como se a cidade já o tivesse "adquirido". Folheou as provas da *graphic novel*. Olhou para a rua, relutante, mas por fim voltou toda a sua atenção aos quadrinhos que deveria, em poucas semanas, traduzir e revisar. A história, escrita e desenhada por um autor chileno radicado na França, se passava em uma grande cidade da era vitoriana; um século XIX alternativo, no qual carros movidos a vapor corriam pelas ruas e autômatos, de fraque e cartola, caminhavam nas ruas. Lucas passou a acompanhar as desventuras dos protagonistas, um menino e menina pré-adolescentes, irmãos gêmeos de origem humilde, perseguidos por uma sociedade secreta relacionada à Liga das Nações. Inicialmente, rascunhou nas margens algumas observações sobre as dificuldades de certas palavras e fraseados; após algumas páginas, a leitura o envolveu de tal modo que deixou o lápis de lado.

A narrativa se tornava mais e mais enrolada, com reviravoltas a cada página.

Levantou a vista: o tráfego tinha melhorado e o ônibus, avançado bastante; no entorno, muitos prédios empresariais. Voltando à *graphic novel*, deu de cara com um desenho de duas páginas retratando a principal cidade da narrativa: os gêmeos a observavam a bordo de um balão; dirigíveis e pirâmides voadoras sobrevoavam o seu espaço aéreo; lá embaixo tubos conectavam os prédios vitorianos entre si e homens e mulheres voavam acima das ruas usando minifoguetes às costas; páginas adiante, explosões e batalhas envolviam humanos, autômatos e os gêmeos. Não pôde saber quem venceria a batalha — acabava de passar do ponto onde deveria descer.

*

— Vim visitar meu pai.

— Como? — Lucas perguntou. A voz de Lina tinha saído, sem que ela percebesse, aos sussurros.

— Meu pai. Ele mora aqui. Quer dizer, não aqui, neste edifício, mas lá perto da Praça da República.

— Então você vem muito pra cá?

— Não. Nunca fomos... Próximos. Encontrei com ele hoje. Há pouco, na verdade.

— E foi legal?

Hesitou.

— Foi.

*

Saiu do apartamento do pai às onze da manhã. Da Rua do Boticário, chegou até a praça. Se fosse um dia usual de passeios pelo centro, Lina caminharia pela região com passadas lentas, dividida entre sentimentos de fascínio e revolta; teria sentado em algum banco e retirado da bolsa o pequeno caderno de croquis, seu companheiro inseparável; se poria a observar os rostos das pessoas e o tempo. Ziguezagueou, porém, até chegar onde não esperava: em um famoso largo, onde havia a estátua de um anjo de bronze postada acima de uma torre de mármore. Os seus olhos vendados, o corpo coberto de pichações e cocô de pombos, os braços e asas abertos. Prédios cansados se aglomeravam em volta do largo, ruas estreitas. A estátua não era a principal atração turística. O lugar abrigava também um conjunto de feição colonial, pintado de branco, composto por uma igreja e um anexo que poderia ser um claustro ou um colégio. Lina permaneceu, durante um bom tempo, estudando as linhas das duas edificações, as simetrias, o acabamento, a única torre da igreja. Procurava resgatar da memória alguma aula, ou texto, sobre... Claro, as janelas: os dois prédios em tudo se assemelhavam, no seu exterior, aos modelos originais que um dia, dizem, deram à luz toda uma cidade. Teria sido um trabalho minucioso de reconstrução, não fossem as janelas ligeiramente equivocadas do colégio.

    Decidiu dar uma olhada no interior. Apesar dos prédios e de todo o barulho lá fora, estar no largo tinha lhe transmitido uma sensação de claridade e folga; o interior da igreja, por outro lado, embora desprovido de qualquer adorno, ou santos, ou pinturas (havia apenas um mosaico em uma das paredes, representando o rosto barbudo do Cristo), lhe transmitia uma escuridão habitada em excesso. Sentou em um banco próximo ao púlpito. Não, não havia um altar. Na verdade, o despojamento do interior a faz pensar em um templo mais protestante do que católico. O púlpito, com sua iluminação de ficção científica, composta por luzes embutidas formando linhas verticais e horizontais nas cores azul e laranja, era a grande atração.

Quando se cansou, Lina levantou do banco e entrou na sala anexa ao templo, localizada próxima às portas da entrada. Tratava-se de um museu em miniatura, onde pôde ver a história do largo e da cidade. Iconografias, vestimentas clericais, uma maquete, dois computadores com vídeos e animações; ignorou tudo isto e fixou sua atenção em uma caixa de vidro, um relicário, instalada no centro da sala. Dentro do relicário, um osso cinzento. "O fêmur do Padre Anchieta". Ali o Coração da Cidade não era um osso qualquer arrancado de um corpo arruinado. Inerte, o relicário não lhe fez promessa alguma. Não solicitou piedade, não lhe contou nenhuma nova história, não lhe impôs o Cristo. A imaginação dela foi incapaz de urdir, contra o próprio tempo, o mínimo de coerência para que se formasse um corpo. "E sou só uma sombra pra você", ela pensava, "sou breve demais, pequena".

*

Lucas, por outro lado, desceu tão apressado do ônibus que pisou em falso e quase teria metido a cara no chão, se alguém esperando no ponto não o tivesse segurado. Subiu a Consolação. Próximo já ao Hannah, uma cena o impediu de continuar caminhando. Na frente de uma loja abandonada, dois monges, de pele muito branca, se ajoelhavam na frente de um mendigo, cujo rosto moreno estava cheio de espuma. Um dos monges, lâmina na mão, tentava barbeá-lo. Sentado, as pernas cobertas por dois cobertores imundos, o mendigo espremia os olhos e vincava a boca. Sua cabeça inclinava-se para trás. Certo movimento, tenso, percorria o seu corpo inteiro.

Se um dos três tinha notado sua presença, nada fizeram. Preferia assim. Temia tanto que o rechaçassem dali, quanto que o chamassem para ajudar. Tempos depois, ele escreveria e-mails aos amigos relatando aquela cena; fez questão — isto lhe pareceu justo e justificador — de inventar um nome para o mendigo: Caetano. O que não dizia a ninguém, mais por pudor do que por ter achado a associação estranha, foi o fato de que, ao observar o rosto do mendigo, lembrou-se de uma pequena escultura. Um minúsculo coração esculpido em ferro e que tinha visto no museu onde estava exposta a pintura da madona. Toda uma parede fora reservada apenas à escultura. Era preciso ficar bem perto a fim de saber do que se tratava e poder captar detalhes: as discretas chamas saindo da sua base, a corrente de espinhos envolvendo a víscera metálica, os olhinhos, a boca de Caetano, as linhas de um rosto.

*

— Mas seus pais moram em Recife?
— Não, eles moram em Campina Grande. Eu morava em Recife com minha esposa.
— Ela também veio?
— Não. Ela se foi.
A resposta dele foi dita com uma voz grave, luto.
Silenciaram. Ao redor de Lucas nasciam e se desenvolviam estruturas cada vez mais intrincadas, cheias de múltiplas funções e mecanismos autossuficientes; prédios vitorianos iluminados contra um fundo de estática, luzes de batalha e palavras de ordem; vidas correndo em ruas e avenidas onde tudo era amputado de qualquer ocupação e sombra. Lina, por sua vez, finalmente sentava no piso. Pensava em mais uma foto, mantida durante três décadas por sua avó. Foto? Não exatamente. Por um motivo que nunca descobriu, nem se esforçou para investigar, a única imagem sua com o pai, na qual os dois brincavam em uma piscina, tinha sido recortada de uma foto maior. Ela teria incluído, só podemos especular, outras tantas pessoas e até um quintal; quem sabe um cachorro babão, duas ou três mamães. No escuro, Lina acabava de encontrar a linha do horizonte de uma paisagem. Por que não mergulhar a partir dali? Acima das águas, ela pairava. O oceano disforme.

O milagre, então, aconteceu: as luzes do elevador acenderam. Depois, o som das engrenagens; um empurrão sacudiu os corpos e ambos se levantaram.
— Finalmente. — Lina, aliviada.
O elevador acabava de parar no oitavo andar.
— Até a próxima pane, moço!
Saiu apressada. Não sei se houve resposta.

O LABORATÓRIO DO
SENHOR MOSCH TERPIN

Ao abrir a porta do apartamento e encontrar as caixas espalhadas pela sala, Faustine lembrou mais um item à lista dos problemas.

— Natanael? — A voz dela saiu rouca, no limite de uma desgastante diplomacia.

Não houve resposta. Ele não estava em casa. Mas a própria Faustine ainda não tinha chegado por inteiro. Claro, enxergamos o seu corpo miúdo, os cabelos negros bem curtos e desgrenhados, em pé no meio da pequena sala. Porém a verdade é que Faustine trouxe consigo uma coleção de cacos (provavelmente amarrados nos ombros, ou nas pernas magras): o temporal lá fora, as unhas longas da sua nova gerente, uma árvore caída, um rato. Os cacos enchiam a sala e seu corpo cansado não teve outra escolha a não ser o sofá velho. De olhos bem abertos ela repetia o dia, paranoicamente, com a esperança de poder de fato chegar a casa. Minutos se passaram e a sede superou o cansaço. Levantou-se e foi à cozinha, cujas luzes Natanael tinha, *como sempre*, esquecido acessas. Aconteceu o que temia. A louça continuava acumulada: pequenos insetos voavam felizes acima do entulho. Aproximou-se para ver o tamanho do estrago e fez uma careta.

Dividiam apartamento há poucos meses e no começo não só pareceu uma boa ideia, mas também um lance de sorte. Conheciam-se por causa de amigos em comum: jogaram conversa fora algumas vezes na Augusta. Ele tinha um bom papo, era simpático e, embora um pouco "agudo" — Faustine gostava de usar essa palavra para descrever os homens que considerava nervosos e frágeis —, parecia de fácil convivência. Ele a desinteressava completamente no quesito sexual — outro ponto a favor. Quando o quarto no edifício Hannah ficou disponível, ponderou: onde encontraria um apartamento naquela região por um preço tão bom? Braços cruzados, respirou fundo. Arregaçou as mangas da camisa. Pegou a bucha e o detergente.

Ouviu então uma porta se abrindo.

— Faustine? Quanta louça, né?

Ela se virou, irritada, na direção da voz, mas se surpreendeu ao com o rosto abalado de Natanael. Os ombros caídos dele encostavam-se à porta da cozinha, os longos cabelos crespos amarrados em um rabo de cavalo. Ele tinha... Chorado?

Após entregar a ela um cigarro, ele perguntou:

— Vamos fumar?

Em condições normais, ela não aceitaria fazer mais nada até ter tomado banho. No entanto, o seguiu até o "escritório" dele — as aspas a gente pega da própria Faustine. Em meio à escrivaninha, um abajur e duas estantes metálicas cheias de livros, ela encontrou novas caixas. Encostado à única janela do escritório, Natanael retirou o celular do bolso, conferiu com ansiedade algo no aparelho, e perguntou:

— Eu já te falei de um irmão do papai, o tio Henrique?

— O nome não me é estranho... — Ela mentiu.

— Então, essas coisas são dele. Ou eram. Quer dizer... Agora são minhas.

— Elas vão ficar por *aí*?

Ele jogou o cigarro pela janela — ela acompanhou a trajetória da bituca —, e acendeu mais um.

— Vou tomar um banho e arrumar. Também não durmo hoje antes de cuidar daquela louça filha da puta. Prometo. — Apontou então a parede na qual um pôster costumava ficar. — Vamos precisar de umas estantes.

"Estou pagando pra ver", ela pensou, e achou a expressão engraçada. Perguntava-se qual o significado daquele "vamos". Deveria encerrar a conversa ali, dar um gelo nele, se jogar no banheiro e depois se enfurnar no quarto. Não conseguiu, porém, sair do lugar. Sentia obrigação de escutá-lo; o decoro, quem sabe, de uma convidada.

— Quer mais um cigarro?

— O que tem nessas caixas?

— Essas estão cheias de livros. — Ele respondeu.

— Deixa eu te mostrar.

Abriram duas delas e se sentaram no chão. Faustine pegou alguns volumes, folheou-os. Admirava a quantidade de livros na vida dele. E admitia o quanto Natanael se esforçava ao menos nisso, tentando indicar livros que ela pudesse gostar. Alguns ela achava bons; a maioria das indicações, no entanto, eram feitas com tanta ênfase, como se o destino do universo estivesse ameaçado, que Faustine acabava se cansando e nem começava. Ele sempre cobrava, pedagógico, as leituras. Embora ela pudesse tirar da cartola um "tenho trabalhado muito e não há tempo", procurava informações no Google sobre os livros — de modo geral, bastava.

— Seu tio, parece que ele lê muito...

— Sim. Ele é um tanto excêntrico, na visão de alguns. Um ótimo contador de histórias. Devo muito a ele. Sou seu sobrinho preferido, todo mundo sabe. Posso até ver o nosso quintal, lá na chácara. Já te falei sobre esse lugar. Foi lá onde a família do meu pai foi criada. É a única herança que sobrou de vovô. Até marquei de juntarmos uma turma e irmos visitar, lembra?

— Temos que ir... — não soube se a convicção convenceu. — Fica em Americana?

— Não. A chácara fica em Osmânia. Não é nada demais, não é grande ou coisa assim, mas tenho muitas recordações boas. Era lá onde ele contava pra gente, seus sobrinhos, as histórias. Mas não eram quaisquer histórias. Eram suas vidas! Meu tio dizia que tinha vivido várias no passado.

— Sei... Espírita?

— Espiritual. É diferente. Teve um acidente na adolescência. Ficou horas desacordado no hospital e, quando acordou, suas primeiras palavras foram: "Porra, eu fui um gato!". Isto foi nos anos 60 e aconteceu não muito longe daqui, lá na Maria Antônia, no famoso dia da quebradeira entre os alunos da USP e do Mackenzie. Não sei se ele fazia parte de grêmio estudantil, ou qualquer movimento desses. Nunca me explicou direito o que fazia na Maria Antônia naquele dia. Aconteceram os quebra-paus, teve alguma explosão. Não sei se foi causada por uma bomba reacionária ou revolucionária, só sei que um estilhaço atingiu sua cabeça e o deixou inconsciente. Depois que saiu do hospital, continuou com a história de que tinha sido um gato e morado em uma cidade alemã medieval. O gato se chamava Philomênio Philomênius e seu dono era um famoso alquimista.

— Sua família levou seu tio ao médico?

— Ele já estava em um hospital, Faustine.

— Quero dizer, por causa dessas histórias...

— Ah, *esse* tipo de médico. Sim. Ele foi tratado por psiquiatras a vida toda, mas na minha opinião, essa turma só é um obstáculo. Há uma iluminação no meu tio, Faustine, você tem que conhecê-lo pra entender!

— E que outras vidas esse seu tio teve?

— Embaixo das goiabeiras da chácara, lembro do meu tio ser um grande navegador troiano, que fugiu das ruínas da sua terra e viveu todo tipo de aventuras, cruzando os mares e até o Hades. Meu tio também foi grego. Um marinheiro, parte da tripulação comandada por um herói. Lembro de um episódio daquela vida, na qual o herói foi envenenado por uma cortesã de um reino. O veneno, embora não lhe trouxesse um risco direto à vida, nublava sua mente e o comandante corria pelo convés querendo duelar com seus próprios subordinados. Não houve remédio a não ser amarrar o comandante a um dos mastros da embarcação. Contava também do Guerreiro Caolho Bretão. Usando as mãos, um tecido branco estirado no quintal e uma lanterna para fazer sombras, ele reconstituía uma famosa batalha, ocorrida dentro do salão de banquetes da sua tribo, contra o filho deformado de um dragão...

Faustine mexia nos volumes enquanto ele falava. Um em particular lhe chamou atenção. Chamava-se *Histórias Fantásticas e Maravilhosas*. Começou a folheá-lo e se surpreendeu ao reconhecer muitas das gravuras. Decorou o número da página na qual estava e fechou o livro. Observou a capa com atenção, enquanto uma das mãos acariciava a lombada. Não conseguia lembrar. Seria um daqueles que sua avó lia para ela antes de dormir?

Sentiu o quanto uma presença se impunha. Reabriu o volume. Uma princesa se faz acompanhar por três cachorros e carrega consigo uma espada mágica na cintura. Os quatro estão diante de uma caverna. *A Morada da Senhora Morte*, explicava a legenda da gravura. Um laboratório de alquimia, onde se podia ver um homem de barba longa, usando chapéu pontudo. Uma das mãos mexia em toda sorte de conteúdo fumegante, ao passo que a outra consultava um livro aberto. Aos seus pés, um gato, dormia. *O Laboratório do Senhor*

Mosch Terpin, leu na legenda. Fechado o livro, os dois lugares permaneciam. Aquele não era mais o escritório de uma casa bagunçada. Era uma sala de espera. Bipes de aparelhos, o odor do formol e a cor branca surgiram na sua mente. Um rosto entubado, o da avó de Faustine, já falecida, veio à tona e logo se apagou.

— ...e após aquilo que chamo de Revelação da Maria Antônia, embora meus familiares e os médicos, a tal "opinião especializada", não gostem que eu use a palavra Revelação, os caminhos oficiais da vida não mais lhe serviam. Apesar de ser desde aquela época um leitor habitual e sempre ter tirado notas boas, não conseguiu mais aprender no esquema tradicional e acabou levando muitas reprovações. Ficou à deriva uns anos. Quando fez dezenove, lhe arrumaram um emprego, mas não conseguiu se adaptar. E por aí seguiu a sua vida. A família logo o meteu na nossa chácara, onde ninguém mais morava àquela altura. Que pelo menos cuidasse do patrimônio, diziam. E acertaram. Meu tio vive até hoje lá e toma conta do lugar direitinho.

— Quer dizer que ele assumiu a chácara assim como você assumiu este apartamento?

— Sim...

— E ele nunca se casou, Natanael? Não teve namoradas, ou... Namorados?

— Nunca. Se teve, não me disse, nem a família comentava. Mas acho que não teve tempo, sempre esteve imerso em suas pesquisas interiores. Certo dia, por exemplo, me confessou o quanto em determinadas épocas da sua vida ele sequer tinha certeza de qual tempo vivia, ou se alguma coisa era "realmente real". Isso é uma grande responsabilidade metafísica.

— Ou uma maluquice...

Natanael soltou uma baforada e continuou:

—Candomblé, pentecostalismo; ufologia, Santo Daime: tio Henrique procurou tudo. Por onde passava, surrupiava pecinhas para formar o próprio caminho. Mas nunca, me garantiu, encontrou as respostas, ou se conformou com as recebidas dos seguidores de Cristo, Iemanjá, Maomé e Kardec. Enquanto isso, as Revelações não paravam de jorrar na sua mente. Vidas épicas, cheias de aventuras, vidas que ele compartilhava. Todo mundo ria dele, o que eu achava puta injusto. Todo mundo ria dele! Zoavam muito, principalmente meus tios. Tudo bem, está certo que tio Henrique tem umas fases. Ele muda de ideia, se apaixona por uma ideia e segue em frente. Teve todas as fases que você pode imaginar.

— Fases religiosas?

— Também. Houve, por exemplo, há poucos anos, uma fase evangélica. Assumiu o protestantismo, queria ser pastor, me ligava empolgado. Organizavam reuniões de estudo bíblico na chácara. Mas logo começou a incomodar. Estudavam o Gênesis, por exemplo, e ele dizia, "ah, essa história de Moisés no deserto, ora, lembro demais, eu fui uma das cabras do irmão dele"; ou, "joguei dados com os centuriões, após a crucificação de Jesus, acreditam na coincidência?!". Não preciso dizer o quanto ficaram chocados: se falou de psiquiatria a exorcismo. O pastor, ou alguém, quis expulsar algum demônio dele, ungir meu tio com uma gota de água de Israel, uns óleos, coisas assim. Teve uma fase espírita. Me ligava empolgado, falando das novas leituras kardecistas. Não demorou e começaram as reuniões na chácara. Insistia nessa coisa de que tinha sido, em outras vidas, animais, como o gato do alquimista. Isso chocava o grupo que se reunia com ele. A Verdade não era assim. Não adiantava. Digo e repito: para meu tio, todas as religiões, apesar de corretas, são incompletas. Sugeriram tanto a psiquiatria, quanto sessões de desobsessão, pois algum espírito certamente estava atormentando meu tio. Alguém levou uma garrafa para prender o suposto espírito obsessor, outro tinha uma pilha alcalina especial que iria medir certo nível espiritual dentro dele...

— Seu tio queria ser tipo um santo?

— Depende. Ele teve seus tempos carnais. Uma das melhores épocas, esta durou muito e ainda a alcancei na minha adolescência, foi quando ele tinha muitos amigos, fazia festanças famosas na região. Todos os dinossauros do rock, hippies, neopagãos, colecionadores de duendes e sacis, literatos, artistas, músicos etc., todos se reuniam pela chácara. Foi onde aprendi a beber. Algumas experiências não ortodoxas com cogumelos? Lá. Plantas menos caretas que um alface americano? Lá. Dizem até que Paulo Coelho, antes da fama, frequentou com assiduidade a nossa chácara.

— Paulo Coelho?!

— "Paulão". Inclusive, isso sempre meu tio repete, Paulão teria até sido, em uma ou outra ocasião, a minha *baby-sitter*.

Faustine apoiou o corpo em uma das caixas. Tossia; decidiu não fumar mais nenhum cigarro. Natanael, de tão empolgado, tinha escolhido um ponto qualquer, próximo à porta, e o fitava com bastante dedicação. A vadia da gerência, ela pensava. E lembrava-se das unhas compridas da mulher, *band-aid* sujo no tornozelo. Uma dormência paciente, maleável como o chumbo, ameaçava rasurar as cinzas e as bitucas largadas no chão de taco.

— Quando eu tinha onze anos, corri na direção do quintal da chácara, deixando para trás, na sala da casa, meus bonecos de super-heróis. Tio Henrique se sentava em uma cadeira de praia embaixo da goiabeira. Usava o seu chapéu inseparável, uma bermuda e camiseta. Ao seu lado, uma mesinha de plástico, sobre a qual havia uma jarra cheia de sangria. A mão esquerda segurava uma bengala. Desde a época da Maria Antônia, afirmava precisar usar uma, hábito que nunca largou, embora eu ficasse confuso, porque já o tinha visto, andando sem ela. Estava dormindo? Caso estivesse, dava para dormir sem a bengala cair no chão? Dúvida cruel.

Os olhos de tio Henrique estavam semicerrados, trêmulos. Eu não disse nada, nem quis chamar a atenção dele: era divertido ficar assim, quietinho, sem fazer barulho: eu brincava de ser O Agente Secreto da Goiabeira. Com muito cuidado a fim de não ativar os sensores psíquicos instalados no campo pelo Inimigo, me sentei no chão. Passei um bom tempo observando, mas fui incapaz de chegar a uma conclusão sobre o lugar no qual poderia estar. Passava mal? Sonhava? Fazia de conta que dormia? Certamente sua mente superior, concluí, viajava por outras dimensões. Cocanha, Ligúria, Latvéria, Atlântida. Por fim, entediado, me retirei. Durante a madrugada, acordei aos gritos. Tio Henrique logo chegou, preocupado. "O que houve, rapaz, o que houve?". Eu tremia, sentado na cama, o cabelo molhado de suor. Nos abraçamos com força. Ligou a luz do quarto, pegou uma cadeira e se sentou ao lado da cama. "Tudo bem?"; sacudi negativamente a cabeça. Após refletir um pouco, me perguntou: "Já te falei quando eu era... Rasputinóvisky, o Monge Inventor Louco?". Sorri e continuei encolhido. Começou a falar de zepelins, homens utilizando máquinas voadoras portáteis, tanques de guerra movidos a vapor, dragões trajando terno e gravata; em seguida, descreveu a Feira Mundial de São Petersburgo, na qual Rasputinóvisky tinha montado uma tenda e apresentado o seu Gabinete De Curiosidades Mecânicas & Pneumáticas, cheio de autômatos e brinquedos. A Rússia desfilou projetada no rosto de tio Henrique, nas sombras das paredes, nas onomatopeias e vozes com as quais ele preenchia o quarto. A Rússia desfilou... Até se apagar no meu sono.

 Faustine decidiu que a hora era aquela. Ele parecia satisfeito e ficou quieto. Ela se ergueu. Nada tinha a dizer. Ainda pensou em se aproximar, cogitou a possibilidade de um abraço. Para quê? Hora de dormir. Desejou boa noite e, aliviada, se trancou no quarto. "Ela vai embora", pensou Natanael, "ela também". Pegou um livro qualquer e deixou as páginas deslizarem. Com um princípio de dor de cabeça, examinou as caixas e livros abandonados pelo escritório. Um labirinto de pedras, quem sabe? Ou uma escavação.

OS RECÉM-NASCIDOS

"Na voz quieta/ O nascimento das criaturas marinhas", o professor Estevão escreveu na lousa. Ele deveria continuar e reproduzir agora o terceiro verso. No entanto, não se moveu.

*

Do outro lado, uma década depois dessa aula, ou onze anos, ou doze anos e meses depois, Faustine está sentada no balcão de uma padaria elegante. Ela relê, pela terceira vez, a lista de horrores divulgada, em página dupla, por uma revista. Aragão Gonçalves Neto, 21; Fernanda Duarte Silva, 19; Geraldo Henrique do Nascimento, 27; Bernardo Lacerda, 32 — os nomes continuam, reproduzidos todos abaixo da foto de um senhor barbudo. O ÚNICO NOME QUE A MORTE NÃO ANISTIOU — é assim, garrafal, o título da matéria.

*

Permaneceu imóvel, esquema de aula e poema incompleto. As palavras escritas foram posicionadas para um papel subalterno, decorativo. Para além delas, por dentro da lousa através de mecanismos complicados, de difícil visibilidade, paisagens e interiores se desenhavam. Aos poucos, a figura feminina e jovem. Ela escrevia com muita força — os olhos vermelhos — em uma agenda de capa preta.

O pequeno Estevão se aproximou dela. A mãe enxugou as lágrimas e fechou a agenda ao perceber a presença dele.

— Chegue, menino.

Quando Estevão se postou ao seu lado, ela fez o gesto sobre o qual ele volta e meia refletia, sem no entanto saber de modo preciso qual pergunta deveria ser feita. Os braços da sua mãe — a agenda fechada, as lâminas a postos na pia da cozinha, cabeças de alho e um punhado de grãos escuros de feijão — sempre se esticavam, lentos, no centro da lembrança. Uma das mãos deslizava pela nuca da criança, enquanto a outra cobria — odores de alho e cebola — o rosto de Estevão. Por um breve momento, não há luz, nem sopro. Somente uma pressão, firme, na base da espinha. Se houve real incômodo, o filho não consegue se lembrar.

Trinta anos depois, tudo está espesso.

*

Faustine, do outro lado, continua a olhar o homem barbudo — "choques nas genitálias", "unhas arrancadas", "ossadas" — e a se lembrar de quando o chamava de vovô.

— Um importante funcionário da corte de um reino distante tinha um cão de caça, um dos melhores espécimes já nascidos de sua raça. — A voz a alcança mais vez. — Era um animal fiel e obediente. O homem possuía um único filho, ainda pequeno, a quem amava muito. Certa noite, o rei enviou um mensageiro, que lhe informou que a corte demandava a sua imediata presença. Como era viúvo, instruiu ao cão de caça: "cuide do meu filho até que eu volte". Após sua partida, o cão postou-se ao lado do menino, que desenhava. De repente, uma cobra, vinda dos jardins, se moveu na direção do menino para picá-lo. O cão matou-a e carregou a serpente morta até os jardins da casa, onde começou a enterrá-la. Nesta hora, o dono da casa retornou e encontrou o animal ensanguentado a fuçar: matou-me o filho, concluiu, e começou... — sua voz fez uma breve pausa. — A espancar o cachorro, que nem se defendeu. — Os dedinhos da neta apertaram com força o avô. — Após matar seu cachorro, o dono, em prantos, caminha até o buraco no jardim e descobre a cobra morta. Corre para dentro de casa: seu filho ainda vive! No dia seguinte, enterra o cão com pompas heroicas. O que podemos — vovô acariciava os cabelos da neta. — aprender com esta história, Faustine?

Seja aos dez, ou aos vinte e cinco anos, ela não entende. Não se trata apenas da história, da moral da história, mas sim dos pontos cegos, das manchas. Continua tudo vedado, terrivelmente. A tinta do jornal mancha a ponta dos seus dedos: o garçom traz o café puro com o pão na chapa. Adorava visitar o vovô e ouvir as suas histórias, mesmo quando algumas delas lhe davam não exatamente medo, mas um aperto no coração. As histórias de vovô lhe apertavam o coração de um modo semelhante à expectativa que temos quando alguém nos promete trazer de uma viagem distante um presente.

— E então, o que podemos aprender?

A menina se ajeitou no colo do avô. Nenhuma resposta foi ouvida. Adorava visitar o avô, tão sozinho naquela fazenda enorme... Só que vovô não tá sozinho, né? Porque tem um montão de funcionários legais e inclusive várias crianças andando de um lado para o outro, todos cheios de tarefinhas. Gostava de observar a todos, principalmente a meninada, *com quem você nunca deve ficar falando*.

Não conheceu a vovó daquele vovô. Ela foi uma jovem de cachos dourados, bochechuda, aprisionada em retratos preto e branco pendurados por todos os lugares da casa, retratos cheios de medalhas, fardas, bigodes. Seus pais nunca, jamais, pisavam na fazenda. Mandavam deixá-la duas vezes ao ano e só. Faustine passava geralmente entre 3 a 4 dias em cada visita. Vovô, apesar das obrigações, papéis e longos telefonemas, todo dia lhe entregava um presente novo, às vezes uma boneca, ou um livro cheio de ilustrações bonitas, além de todos que Faustine recebia assim que chegava na fazenda. Nunca convidou amiguinhos, nem tinha primos. Ele não perguntava a respeito da filha e do genro. Era a pequena Faustine a tomar a iniciativa. Contava coisas de casa, o avô a ouvia inabalável. A netinha passava os dias lendo, conversava com os brinquedos, resolvia quebra-cabeças divertidos e passeava pela região na companhia de vovô ou do Seu Inácio, o Homem-De-Confiança.

— Me chame de Nácio-nácio, menininha!

"Que figura", pensa Faustine, "espero que também esteja morto". Inácio sempre fazia a netinha rir e a enchia de doces. Calvo, barrigudão igual a Papai Noel, puxava levemente de uma perna e só usava roupas brancas. Carregava consigo o tempo todo lenços perfumados, retirados da pochete pendurada à cintura e com os quais esfregava intensamente as mãos e a careca.

Acima de tudo a netinha desenhava e pintava. Imagens terminadas, inventava histórias para elas e as encenava para suas bonecas. Faustine dava pulos no ar e criava vozes cujos ecos ela agora se esforça para escutar. O que eu contava? Como começava? Não consegue dizer. Tudo que alcança é uma série de iluminações; pulsam e logo perdem cor, substância.

Vovô adorava. Toda vez elogiava os desenhos, ao contrário dos seus pais, sempre tão exigentes e desconfiados, criados à imagem e semelhança da...

— Está tudo bem, moça?

Faustine levanta o rosto e vê o rosto moreno do garçom.

*

— Não vai provar nem um pouquinho do bife? — Uma das gêmeas perguntou.

Estevão não respondeu à irmã. A outra gêmea trocou olhares com o caçula e este por sua vez observava o irmão — "media", Estevão diria. Chegou a pensar que seus irmãos mais novos tivessem lhe servido carne vermelha de propósito, mas reprimiu a desconfiança, porque afinal de contas desde o dia anterior tem sido muito bem recebido pelas anfitriãs e, superadas as frases protocolares, não é que uma vivacidade, algo falando direto do passado, quando todos viveram juntos antes que *ela* sumisse, foi retornando? Por outro lado, depois de tantos anos, se reencontrar ali, na pobre cidade litorânea onde todos nasceram, não garantia nada. Tudo está longe, Estevão logo vai concluir. A breve distância, por exemplo, entre a ponta do lápis e o papel, ou entre os dedos e as teclas, só em aparência é menor do que o lugar no qual você está sentado e, digamos, Plutão, o mais triste do mundo. "Estar junto"? Nunca resolveu nada.

— Não como mais carne, lembra?

— Mas nem um pedacinho?

O caçula soltou uma gargalhada, que diplomaticamente contagiou uma gêmea, depois a outra, para finalmente alcançar Estevão. Com gesto e voz de irmão mais velho, o caçula:

— Bota aí mais beterraba no prato dele, irmã!
— Olha, mas se esse bife aí fosse um camarão, nem eu chegava perto. — Elas disseram.

Gesticulando quase simultaneamente, todos concordaram e isto devolveu a mãe a casa: sua cicatriz nada discreta no rosto — "vícios de menina" era a resposta direta, seca, os panos cerrados, concedida por ela se perguntavam a origem daquela marca; os tempos nos quais mãe e os quatro filhos moravam juntos; as horas no restaurante à beira-mar, quando a ajudavam a descascar camarões em troca de moedas e sobras. Cabelos de palha, cabelos de palha, repetia mentalmente Estevão; as gêmeas lembravam um sabor azedo; e o caçula:

— Este Brasil é grande, é um Brasil bom... Veja de onde saímos e aonde chegamos!

Estevão tossiu.

— Olha, a gente ainda está aqui, na verdade. — Uma das gêmeas disse, apontando o chão da sala.

— E nem sequer conseguimos comer camarão! — Completou a outra e começaram a rir juntas. Estevão achou graça.

*

Quando Inácio retornou do banheiro, o garoto de pés descalços continuava a insistir. Uma das garçonetes tentava segurar o braço do menino com força. Não temiam o pedinte; temiam pelo pedinte. Faustine? Olhava o garoto com uma cara séria — Inácio não conseguia deduzir as emoções dela. Ele repousou, com delicadeza, a mão direita nas costas da funcionária. Logo depois Inácio ouviu alguém o chamando pelo nome; com um gesto, sem se virar para o dono da lanchonete, ordenou silêncio; a garçonete, uma jovem morena de cabelos crespos, enfileirou uma sequência de desculpas: estava tudo sob controle; o transtorno não se repetiria. Inácio sorriu para Faustine e depois encarou o garoto. Agarrou-o pelo pescoço e o conduziu até o lado de fora da lanchonete.

A conversa durou pouco e a criança ouvia de cabeça baixa; Inácio mal parecia falar; Faustine se esforçou, mas não conseguiu captar nada. Correu. Inácio não voltou de imediato à lanchonete. Ficou imóvel, observando os quarteirões à sua volta. Corpulento, parecia um daqueles príncipes transformado, nos contos, em um ogro.

— Você sabe que seu avô faz tudo para te proteger, não sabe?

Ela não respondeu, nem tocou o hambúrguer recém-chegado.

— Você é o bem mais precioso dele.

Havia qualquer coisa como amor na voz, ela hoje enxerga.

*

A casa, simples e sem quintal, tinha três cômodos, um para cada irmã e um terceiro que deveria ser chamado de hóspedes, mas que tem para Estevão outro sentido, um meio caminho entre as palavras "cripta" e "monumento". Tinha cogitado se hospedar fora, não em um dos resorts chiques que pipocam nos arredores da cidade, como fez o caçula, mas em alguma pousadinha, ou no hotel-escola do Instituto no qual as irmãs dão aula.

"Será que isso é a Suécia?", ele se perguntava, deitado na cama e prestes a começar um cochilo após o almoço de reencontro. Sua atenção se voltava para o pôster — uma cadeia de montanhas cheias de neve — pendurado na parede. "Enamorada do gringo", costumavam dizer as irmãs num tom no qual havia uma mistura de reprovação e gentileza, como se estivessem falando de alguma heroína de novela. "Foi um amor fulminante", explicavam, "dessas de Dalila e Sansão". A mãe largou suas poucas roupas, a casinha cheia de dívidas, a geladeira vazia e os quatro filhos pequenos. A vida deixada para trás foi meticulosamente repartida entre os familiares. Isso incluía os garotos: ninguém queria, ou podia, dar conta dos quatro. Uma semana após o sumiço, eles se espalharam: Garanhuns, Campina Grande e Natal.

Poucos interurbanos, até hoje, ocorreram; também não houve telefonemas entre os dois continentes, mas apareciam alguns cartões-postais, assim como dinheiro genuinamente sueco. A mãe viveu pouco mais de dois anos na Europa. Se a doença que lhe venceu a vida foi súbita, ou anunciada desde os tempos no Brasil, isto Estevão nunca quis saber. Apesar disso, o dinheiro chegou para cada um dos quatro filhos até completarem 18 anos. Embora não fosse muito, foi abafando as imprecações e os abusos — sempre o troco dos favores — dos parentes. A Dalila tinha um pouco de Maria; quem nunca, afinal, vende para comprar o futuro? Mães sempre sacrificam.

Havia poucas fotos dela no Brasil e nenhuma do pai desconhecido, "supondo", desconfiava Estevão, "termos nós quatro o mesmo". Nas fotos europeias, penduradas também nas paredes daquele quarto, ela mantinha as mesmas poses, expressão facial e formalidade ao lado do Sueco sempre gordo e barbudo. Às vezes, havia crianças loiras e rosadas; paisagens exóticas, tavernas. Não importava a locação. Estevão enxergava, é possível que pela primeira vez, um permanente estado de luta, algo irremediável e estrangeiro: as imagens não paravam de afundar mais e mais. A morte nada mais fez do que soldar as trancas. Os fardos pertencentes aos ombros dela, o lugar verdadeiro no qual ela sempre — "desde quando?!" — habitou, se apagaram de uma vez só.

"Bobagem, bobagem as meninas acreditarem saber de alguma coisa!". Foi graças à iniciativa delas que as fotos, vindas da Suécia, estavam penduradas ali. Graças a elas, todos se reuniam pela primeira vez na mesma cidade na qual foram deixados para trás. As gêmeas inclusive planejavam visitar "o pai", como chamavam o Sueco. O caçula detestava a ideia.

— Aí, onde tu tá dormindo, Estevão, eu nunca nem pisei! — Enfatizou enquanto tomavam um cafezinho e comiam bolo. Uma das gêmeas lavava os pratos do almoço; a outra dava aquela varrida pela sala.

"Oremos e Jesus proverá", diziam o tempo todo as irmãs sobre os custos da futura viagem. Estevão não gostava dessa conversa de "orar". Desconforto maior, porém, estava reservado ao caçula, seja por causa da política, que a todo instante interrompia e invadia a casa na forma de telefonemas, mensagens e palavras com os "correligionários", seja porque do irmão mais jovem emanava uma sombra bojuda e paternal, uma rede armada e bem intencionada, de cuja captura tentava a todo custo fugir.

Concluídas as tarefas, as irmãs se encolheram no sofá da sala e ligaram a TV. Estevão sugeriu que elas a desligassem; o caçula solicitou um volume mais baixo, no que foi, para certo incômodo do primogênito, atendido. Os dois conversavam e sacavam dos bolsos façanhas. Apesar de pequena e abafada, quem diria caber na sala, além dos móveis simples e dos quatro irmãos, um prédio de dez andares, erigido pelo Caçula em cima da mesa onde tinham almoçado, ao lado do qual ele também empilhou, majestoso e invisível, o canteiro de obras de um hotel? O mais velho não teve outra escolha a não ser jogar para dentro da casa as duas salas do cursinho para pré-vestibulandos que ele acabava de montar, após uma década dando aulas, em um dos bairros nobres de São Paulo; logo ele, o "Paraíba" (o apelido e "uma década" apareceram em néon); esposa loira e filhos também agregaram valor ao debate, embora, se pudesse assistir a si falando, é possível que Estevão condenasse o lance estratégico; o caçula, solteirão —gay enrustido, desconfiava o primogênito —, pouco se comoveu e nada comentou, ao contrário das irmãs, cheias de reclamações a respeito da ausência de fotografias dos pimpolhos. Em sequência, peças de dominó caindo sincronizadas, vieram os carros, as vagas nas garagens, as homenagens, os títulos, o Futuro. Quando uma das gêmeas se levantou e avisou do cochilo, pode ser considerado quase um milagre o fato dos quatro terem conseguido se movimentar em meio a uma casa tão empilhada. As Gêmeas se recolheram cada uma aos seus quartos. Estevão iniciou, deitado no quarto de hóspedes, a observação da Suécia e o Caçula, este conseguiu armar uma rede na sala e decidiu não voltar — "ainda não" — ao resort no qual estava hospedado. Pelo contrário. Roncou, bonachão, enquanto os Impérios se desmontavam e rolavam porta afora.

*

Neta e avô costumavam, após o jornal da noite, folhear juntos livros sobre pintores, escultores e arquitetos por ele guardados nas estantes do escritório, ao lado da coleção de espadas. Contudo, naquela visita, Vovô tremia muito, não tinha paciência para olhar os livros, evitava os noticiários. Inácio vivia com ele por todos os lados e também havia uma enfermeira, de quem Faustine não gostava. No segundo dia de hospedagem, criou coragem e decidiu pegar uma tela que seu avô tinha lhe presenteado. Cobriu-a com duas mãos de tinta branca e a levou para ele ver.

 Entrou ansiosa, a obra embaixo do braço, roupa salpicada de tinta. As estantes de livros se elevavam, soturnas. Vovô mantinha expressão derrotada, os ombros murchos — pelas janelas da fazenda, o outono. Faustine o chamou pelo nome. Distraído, ele sorriu na direção errada. A mão vacilante, após tentativas, finalmente encontrou os cabelos longos da neta, que lhe entregou o quadro novo.

— Que, que bonito, minha filha!

De repente, para a surpresa da neta, soltou um berro. Exigia a presença de Seu Inácio, que prontamente chegou e só entrou no escritório após se anunciar e receber a permissão do patrão. O velho ergueu o quadro no ar. Seu capataz o segurou com uma cara de quem não sabia o que fazer. Pegando-o de volta, vovô passou com delicadeza os dedos pela superfície da tela à procura de algum esclarecimento, ou de um tanto mais de tempo. Os olhos, oleosos, o traíam e as desconfianças da menina se confirmavam: uma nova estação, estéril, tomava conta.

Magoada, Faustine se retirou. Atravessou a casa e correu pelos matos mal cuidados em direção ao cafezal, até interromper o passo por causa de um grupo de trabalhadores aglomerado na sua frente. Eles se reuniam diante do corpo de um menino um pouco mais jovem do que ela. Uma mulher gritava, enquanto um dos subordinados de Inácio, vigiado por outros seguranças armados, puxava os seus cabelos. Faustine — "Mas será que isso não foi um pesadelo?", ela se interroga, pressionando o indicador contra o rosto intimidador do seu avô, impresso no jornal — quis gritar, porém alguém já agarrava a pequena Faustine e a levava de volta à casa.

Mais tarde, exilada por escolha própria no seu quarto, a porta trancada e às escuras (nem seu avô, nem Inácio, para seu desapontamento, bateram), Faustine chegou pela primeira vez em um lugar ao qual a contragosto visitaria em diferentes momentos da sua vida. Sentiu uma sede pelo mundo, a partir da qual tudo deveria estar a ponto de renascer. Mas tudo se solidifica e se deforma.

*

Onde estavam seus irmãos naquela noite? Solte um grito dentro de uma caverna e ele ecoa de volta, transformado. De onde surgia aquele passado, ele e sua mãe e os pés escondidos em uma noite de lua cheia? Talvez não tenha acontecido.

 A lembrança exigia que os dois estivessem na frente do restaurante de frutos do mar onde a mãe trabalhava. O menino sentava na areia da praia, próximo a um pequeno cercado em formato quadrangular, com três palmos de extensão. A mãe se mantinha em pé e fumava; a chama laranja do cigarro resistia bravamente aos ventos fortes; os cabelos dela se agitavam e tomavam a forma de espantalhos e serpentes. Estevão não sabia o que era mais assustador e angelical: se a lua imensa, soberana, ou o mar. O mistério, porém, se a própria palavra é permitida, pertencia a ela. Para além dos véus emprestados pela noite, o rosto e a magreza da mãe se revestiam de opacidade. Ajoelhou-se ao lado do filho e manteve as mãos suspensas pouco acima do cercado. Agarrou, com brusquidão, os braços dele. Juntos, cavaram. Logo Estevão foi recompensado com a percepção do formigamento. Centenas de patinhas e cascos se agitavam, em desespero, jogando grãos de areia por todos os lados.

— Cuidado. — Ele escutou.

A bacia, tomada de empréstimo do restaurante, estava nas mãos dele. As coisas, as coisinhas, lutavam. Ela as largava, sujas de visgo e areia, na bacia onde continuavam se atritando com intensidade. A bacia emitia um som pouco natural, sofrido, interminável. O pequeno Estevão, sem fôlego, chegava à conclusão de que elas tinham nascido no mundo errado, porque não pertenciam nem ao mar, nem à areia, nem à cidade, nem à terra, nem ao país, nem ao restaurante; quem sabe... Quem sabe tivessem não nascido, mas caído da própria noite; levadas pelas correntes de um segundo mar, obrigadas a abandonar um planeta anterior e interior ao nosso, dentro do qual tudo é invertido; sequestradas por aquela praia, onde foram desenterradas àquela segunda vida. A mãe conduziu Estevão mais para perto das águas e o garoto sentiu a areia firme e úmida; um chuvisco despencava sobre a praia; a água do mar repetia, sem fim, o movimento de invadir e se retrair da terra firme, desenhando uma fronteira cuja obediência Estevão sentia ser necessário respeitar a todo custo. Juntos, inclinaram a bacia e todas caíram na areia. Os recém-nascidos rastejavam, desajeitados e solitários, a uma velocidade cada vez maior na direção do oceano. Antes tropeçando uns nos outros, cada indivíduo foi se afastando dos companheiros, criando e conquistando espaço à medida que seus corpos e sua trajetória desenhavam na praia um rastro curvo, comparável ao de uma folha seca que fosse desistindo do outono a favor de incontáveis, pequeninas, flores.

Logo, os animais e a água se encontraram e Estevão prendeu a respiração, sem saber por quê; os corpos minúsculos se misturaram à espuma. A criança soltou gritos de triunfo, dando saltos no ar; rindo bastante, abraçou a mãe com toda força, até soltar um grito não de contentamento, mas de dor. Logo acariciava, tentando conter o choro, o braço dolorido por causa do beliscão.

*

Fechou o jornal, pagou a conta e deixou a padaria para trás. Na esquina da Paulista com a Consolação, a caminho de casa, Faustine viu o boliviano ser arrastado para fora do ônibus pela polícia. Os PMs fizeram a primeira pergunta, sem resposta. Na segunda, um tapa na cara. Revoltada, tentou intervir. Um deles perguntou o nome dela, o endereço e se era advogada. Por fim:

— Por que você roubou, garota?

Segurando o pescoço dela, ordenou que colocasse as mãos para trás. O impacto no público foi imediato: Faustine ouviu palavras de apoio e também xingamentos. Continuou, porém, algemada, o corpo pressionado de encontro a uma das viaturas. Abriram sua mochila e levantaram seus dados. Ao seu lado, o boliviano, também algemado. Pensou em trocar olhares com ele, ou perguntar seu nome; ficou quieta.

Seguiram em carros diferentes. Faustine rodou, dentro do carro da polícia, por alguns quarteirões; mordia os próprios lábios para conter os tremores do corpo.

Ao menos naquela delegacia, nenhum sinal do boliviano. Foi levada para falar diretamente com o delegado, um senhor com cara de aposentadoria.

Olhou-a de alto a baixo.

— Seu sobrenome... Por acaso *é você* a neta do Coronel F...?

Após uma luta interna, confirmou.

A surpresa no rosto dele com rapidez se transformou em constrangimento, a ponto de Faustine quase sentir prazer.

— Ele foi um grande homem e um servidor da Nação. Não acredite nas difamações dos jornais. Eu *sabia* que já tinha te visto antes, garota. Muito tempo se passou, mas digo a todos os seus parentes, sempre e sempre: meus pêsames. Peço a gentileza de aceitar — lançou um olhar furioso ao PM que a tinha prendido. — as minhas mais sinceras desculpas. Mal-entendidos acontecem, mesmo nas melhores famílias, não é? Você está livre. Algo mais que eu possa fazer por você?

Pensou no boliviano sem nome e disse apenas:

— Não.

— A jovem precisa de carona até sua residência?

— Sei o caminho de casa.

— Posso ao menos solicitar um táxi...

— Sei o caminho.

— Disto eu não duvido.

Apertaram as mãos. Na troca dos olhares de despedida, o delegado parecia, e isto a chateou ainda mais, cheio de nostalgias.

Ao chegar ao apartamento do Hannah, aliviada constatou que tanto Natanael, quanto Lucas, não estavam. Trancada no quarto, jogou toda a sua roupa no chão e observou, com desgosto, o próprio corpo. Considerou-se horrivelmente branca. Deitada na cama, manteve-se quieta e observou a caminhada da noite através do seu corpo sem manchas.

*

Mãe e filho apagaram-se da praia.

Estevão deu o passo seguinte e já era meio-dia. Sozinho, observava o restaurante lotado de turistas como ele, deliciados com todo tipo de peixes e frutos do mar. Não haveria tempo de almoçar: era preciso chegar rápido a São Paulo ainda naquela noite. Mais um passo adiante e lá estava o incompleto poema na lousa, a sala de aula invadida pela luz. Os sutis mecanismos, revelados para além da visão, enterrados bem por dentro da sua caligrafia, remexendo-se por entre as fibras de madeira e plástico da lousa, emperravam e suas imagens se partiam, espalhando farelos sobre o sapato de Estevão. Os alunos ainda chegavam quando uma das alunas o abordou e pediu muito abalada, para ser dispensada da sala.

— Tô com a cabeça cheia, Estevão.

A garota nunca usava "professor" e isto o agradava. A justificativa produziu a impressão de que falava mais do poema na lousa e menos de si própria.

— Sim, claro, por favor, fique à vontade Faustine.

Deu as costas aos alunos a fim de continuar escrevendo o roteiro da aula, mas no lugar do poema encontramos somente o apartamento no qual mora, na Aclimação. Eram quase onze da noite e Estevão estava exausto de tantas aulas. A voz de um antigo professor de sua época de estudante de letras ecoava. Ulisses, para sobreviver ao canto das sereias enquanto ele e seus marinheiros se aventuravam pelo mar grego, pediu aos seus subordinados para ser amarrado ao mastro do seu navio. "Enquanto todos os outros marinheiros tapavam os ouvidos com cera", explicou a voz pausada, o tom de barítono, "o seu capitão decidiu que precisava ouvir o que existe supostamente de mais perigoso no mundo, a melodia hipnótica cantada por aqueles seres amaldiçoados, as duas fêmeas de garras venenosas e asas de abutre". "Mas alguns especulam", continuou o professor aos seus alunos seletos, reunidos em sua sala, "se Ulisses teria escutado a voz das sereias, ou se, envergonhado, mentiu para todos a respeito da verdade sobre o encontro com elas. Porque há uma possibilidade de que elas não tenham cantado, usando assim a sua mais terrível arma".

Entrou no quarto dos seus dois filhos. O aquecedor estava ligado e os brinquedos, milagre, organizados. Ajoelhado sobre o tapete felpudo posicionado entre as duas camas onde cada um dorme, mexeu no cabelo do caçula e depois no do primogênito. De repente, a sua mãe tapou outra vez o seu rosto. A cada visita, ela está mais visível e inexplicável; Estevão, porém, a afastou e voltou a respirar. Ao sair do quarto dos meninos e sentar no sofá da sala cara e recém-reformada, um peso finalmente saiu dos seus ombros. Mãos cuidadosas, cheias de habilidade, recebem permissão para finalizar uma tecelagem longa e difícil.

TERESA

Pássaros pousam nos ombros de Teresa, mas não cantam. Nos últimos dias ela costuma, sempre aos finais de tarde, sentar nos degraus que dão acesso à entrada do edifício. Com os pés encostados e as mãos fechadas, observa a rua: ouvidos atentos aos ruídos, aos olhos sujos. Ninguém parece se incomodar com a presença dos animais. Os pássaros pouco se movem após o pouso — são escuros. Eles enfeitam o seu rosto com uma fina grinalda, que trouxeram pendurada nos bicos. Quando seu filho chegar, já será naquela hora da noite em que o trânsito desacelerou. Ele a tomará pela mão, a conduzirá até o quarto dela, acenderá a luz, colocará o único livro que foi salvo no colo da mãe e por fim dirá:

— Boa noite.

*

A lama, as pedras e uma mão aberta. Dois cachorros procuram alguma coisa no meio dos destroços. O focinho de um dos cães empurra os dedos enlameados. No dedo é possível enxergar a aliança, na qual se encosta o focinho do animal. Ele cheira, cheira, cheira. Até sua boca se abrir.

I

TERESA: "Depois que o príncipe Elias se perdeu da família durante uma caçada, Deus teve misericórdia e mandou que um leão criasse o menino. O rei tinha certo no seu coração que seu filho ainda estava vivo em algum lugar, por isso mandava para todos os cantos do reinado suas patrulhas. Quando Elias já estava um rapaz, uma patrulha encontrou a cova do leão. Os soldados mataram o animal e resgataram o príncipe. No entanto, ninguém conseguia fazê-lo lembrar de ser gente: ele não reaprendia a falar e vivia correndo os jardins à semelhança dos bichos. Naquele tempo existiam gigantes. Um deles tinha chegado ao reino e destruía casas, vilas, fazendas. Para acabar com a destruição, exigia que lhe fossem dados de alimento 60 homens todo mês. Veio uma palavra do Senhor para o rei, através do profeta Natanael: que ele enviasse o seu único filho para o gigante, junto com os outros 59 homens. Todos na corte se escandalizaram e a rainha enlutou, porém o rei decidiu cumprir a vontade divina. Elias e os 59 homens se deslocaram até o covil do monstro, que morava em uma montanha. Ao entrarem, todos os homens, exceto Elias, tremeram e gritaram quando chegou o gigante, que só tinha um olho enorme no meio da testa. 'Coisinha pequena, coisinha pequena', perguntou o monstro com a voz podre, 'não tem medo de mim?'. O príncipe rosnou e jogou pedras no gigante que, rindo muito, gritou: 'Último será o teu nome! Tu não sabes falar?'. O monstro decidiu que Último não tinha gosto de gente. Também decidiu ensiná-lo a linguagem dos homens, antes de comê-lo. O gigante devorava dois homens por dia, enquanto ensinava tudo que sabia das sabedorias às ciências do mundo, o Último. Às vezes, o gigante quase não conseguia se controlar, lambia seu aluno enquanto dizia: 'Haverá mais monstrinhos na tua terra, Último?'. Quando devorou o quinquagésimo-nono homem, o gigante, para comemorar que finalmente devoraria Último, bebeu dois tonéis de vinho e caiu no chão. Elias, de fininho, saiu da montanha, arrancou da terra uma árvore e, queimando uma das pontas da árvore com a fogueira que aquecia o covil do gigante, enfiou-a direto no seu único olho! O monstro gritava: 'Ai! Bode de olhos, boca e chifre negros! Quem ousou me atacar?', enquanto batia com as mãos imensas nas paredes da montanha. Elias respondeu: 'quem te matou foi o nome que você ensinou' e fugiu da montanha na hora em que as pedras soterraram o gigante."

*

A lama, as pedras e uma mão aberta, enterrada. Dois cachorros famintos procuram alguma coisa no meio dos destroços. Acima deles, um colchão amarelado se pendura nos fios elétricos. Casas em pedaços: de uma delas, restou apenas uma parede e meia de azulejos brancos. O focinho de um dos cães empurra os dedos enlameados. No dedo indicador é possível enxergar a aliança, na qual se encosta o focinho do animal. Ele cheira, cheira, cheira. Até sua boca se abrir.

*

Teresa esperou durante três anos o marido. Petrúcio, assim como tantos e tantos dos seus conterrâneos, partiu para São Paulo meses após casar. As noivas e esposas destes homens ficavam à espera, grinaldas amarelas na mão. Muitas temiam que eles nunca voltassem.

Às vezes, novos pretendentes rondavam as noivas-viúvas. Algumas entregavam os seios, em segredo, nos quintais embaixo das árvores; a maioria continuava impassível — as grinaldas. Teresa se manteve fiel e continuou a vida de casa. Gostava de ouvir, todo cair da tarde, as histórias de sua avó, enquanto a ajudava a debulhar milho; aos sábados, juntava as crianças na praça e contava dos mouros, das princesas encantadas e dos milagres dos profetas. Enquanto o marido não voltou, continuou a morar com os pais. Ajudou-os nos trabalhos domésticos, fez costuras, foi à missa. Todo mês, ele lhe escrevia uma carta magra. Passados aqueles três anos, Petrúcio retornou com algum dinheiro. Montou um mercadinho no centro da cidade, fez do quintal uma loja de aviamentos, para a qual se chegava pelas laterais da casa, e que deixou aos cuidados da esposa.

Teresa, às vezes, se perguntava: Petrúcio tinha mudado? De brincadeira, dizia: "oi sulista!" e o esposo devolvia o cumprimento com um sorriso que talvez tivesse certo constrangimento. Na primeira semana após o retorno, ela lhe fez perguntas polidas e adequadas sobre a vida que viveu: onde trabalhou?, onde morou?, deixou amigos? Os parentes agiram de maneira semelhante. Não seria fácil definir o que teria mudado. O senso de humor, uma das suas maiores qualidades, se mantinha intacto. A voz, só um pouquinho diferente, com algo carregado no sotaque, algo do Sul. Ainda um bom partido: não gostava da cachaça e continuava trabalhador. Apesar disso, alguns achavam que seus gestos e palavras careciam de espontaneidade, como se o passado puxasse, de maneira lenta, porém teimosa, os braços de Petrúcio na direção de uma história escondida debaixo do tapete, uma história inconclusa. Teresa cada vez mais acreditava: Petrúcio fingia. Como se tivesse desaprendido de si e estivesse à procura do que tinha se perdido no percurso, na estrada. Às vezes, ela achava que ele temia algo. Uma tarde, já grávida, um carro circulou pela cidade e alguns estranhos fizeram perguntas deslocadas pelas ruas. Petrúcio, por coincidência, tinha feito uma viagem repentina às cidades das proximidades. Retornou um dia depois da partida dos visitantes e durante dias o casal trocou poucas palavras entre si.

Petrúcio gostava de passar parte do seu tempo livre observando a rua, sentado à janela. O cigarro na mão esquerda, os giros da fumaça transformados em garras, enquanto sua mão direita enrolava e desenrolava os pelos do próprio bigode. Os olhos mergulhados nas pedras, esquinas e bichos. Naqueles momentos, ele fumava demais, pensava Teresa.

Logo após a partida dos filhos, os dois se hipotecaram; aquele antigo e ansioso silêncio da espera voltou, desta vez transformado, calcificado; o silêncio, após ser preenchido com as brincadeiras, o corre-corre, os choros, as doenças e os estudos dos três filhos homens, retornou com toda a força quando a primeira velhice surpreendeu Teresa e Petrúcio. Novamente sozinhos: novamente à espera.

*

Teresa costuma lavar os pratos que sobram do almoço e do café da manhã. Sente que deste modo retribui a caridade do filho e da nora, sempre noturnos e discretos. Em seguida, será a vez das roupas da casa. Às vezes, recebe a visita dos outros filhos e um deles leva a alegria do seu primeiro neto, recém-nascido, Lucas.

Os pássaros nunca entram no apartamento, eles se penduram nos postes e fios. Quando termina os trabalhos da casa, Teresa se recolhe no quarto dos fundos: um pequeno espelho de moldura laranja; uma Bíblia; Nossa Senhora das Dores; um álbum de fotografias, o único que não foi levado; alguns livros da antiga biblioteca municipal; a foto de Petrúcio; uma foto com os filhos, primos, tios, irmãos.

Ela senta na cama, fecha os olhos e recorda. Não consegue evitar, é quase como se ainda não tivesse despertado. Fechá-los permite acordar em outra vida, que não é melhor do que esta vida agora; pelo contrário, há lama, as centenas de corpos. Os sonhos dos últimos dias são lembranças de cabeça para baixo, penduradas pelo calcanhar. Por fim, quando o sol esfriar e os pássaros acalmarem os ânimos, Teresa descerá as escadas.

*

Durante todos aqueles anos de casamento, Teresa acostumou-se a servir frios os pratos do jantar. Nos primeiros meses após o retorno do Sul, por causa de saudades de estimação, ainda houve algumas descobertas, porém logo ficou evidente para Teresa que na cama eles não se encontravam. Cada corpo procurava lugares diferentes. Os beijos de Petrúcio e suas tentativas de carinhos pareciam ser expectativas de que outra coisa, a coisa *verdadeira*, se concretizasse. Enquanto existiu força para o sexo, Teresa escolheu e conduziu. Petrúcio deixava que tudo caminhasse sem sua interferência. Assim acontecia o convite: duas vezes por mês, ela acendia uma vela na sala. As outras luzes da casa apagavam, os filhos dormiam, o rádio se desligava — sobravam as silhuetas. Teresa se deitava na cama do casal e permanecia à espera, as costas voltadas para a entrada do quarto. Espirais de fumaça: por entre cortinas e porta-retratos, os chinelos se arrastavam.

*

As pedras e o barro tinham o brilho das garras das harpias. Sentado à janela, bigodes cheios de fumaça, Petrúcio moveu os olhos na direção de Teresa, mas somente porque de vez em quando é preciso se mexer. Naquela tarde, ele já desistia.

Na parede, um Sagrado Coração emoldurado. Ela estava de pé — o azul do vestido encostava-se à mesa, coberta por um tecido florido, amarelo. Três pequenas caixas de bugigangas descansavam em cima daquela mesa, na qual havia também anéis, moedas, dois colares de pérolas e um álbum de fotografias. Teresa, que pisava em alguma lembrança boa, lembrança de menina, sorria. Segurava na mão direita uma pequena balança e tentava equilibrá-la. Petrúcio, sobrancelhas despenteadas, acompanhou, como uma serpente apaixonada, a balança parar de se mexer e ficar congelada em um espaço divorciado do tempo.

II

TERESA: "Grande seca. Os rios e lagos tinham secado e havia muitos ossos de bichos nas beiras. O profeta-príncipe Elias viajava há várias semanas. Cobertas de pó, as mãos do profeta tremiam, rosto ferido pelo calor. À sua volta, só conseguia reconhecer espinhos e cobras. Qualquer pessoa teria sucumbido em condições tão extremas quanto as de sua jornada, porém ele era filho de um rei e de um leão. Quando se aproximou de Sarepta, viu uma mulher que apanhava lenha na entrada da cidade. Elias se aproximou dela e pediu água.

Chorando, ela disse: 'sei que tu és profeta. Meu filho morreu esta manhã e vou queimá-lo'; 'Não!', disse Elias e segurou no pulso daquela mulher, 'me leve até seu filho'. Elias foi até o quarto onde o corpo do menino descansava, ajoelhou-se e começou uma oração. Após abrir os olhos, ainda ajoelhado, acariciou os cabelos do menino, aproximou os lábios dos seus ouvidos e começou a falar: 'Se tu voltares, menino, amanhã de manhã poderás brincar novamente. Tu crescerás e, exceto por um pequeno acidente, quando terás como prêmio uma cicatriz na coxa direita, te tornarás um rapaz com saúde e a cidade te convocará para que sejas um soldado, alguém que a proteja dos inimigos. Viverás três batalhas e te conto de duas: passarás homens, suas mulheres e filhas no fio da espada. Tuas sandálias se mancharão de sangue. Desposarás uma bela mulher, que te trairá com teu melhor amigo, mas a cidade ficará ao teu lado e ela será apedrejada, enquanto ele será lançado ao deserto. Depois que voltares da segunda batalha de tua vida, duas jovens mulheres, em épocas diferentes, desnudarão o seio para que possas beijá-lo. Elas serão tuas. Se tu voltares, menino, vai ser possível ouvir aqueles passarinhos que tu gostas. Se tu voltares, menino, enterrarás tua bondosa mãe no terceiro ano. Se tu voltares, menino, poderás viver aquele prazer invisível, que tu mal percebes e sobre o qual nunca comentarás, não porque seja segredo, mas porque é tão natural: sentir o dia deitando-se sobre teus ombros'.

Durante horas, Elias continuou a ensinar ao menino morto como seria sua vida, caso acendesse os olhos. Furtou-lhe, contudo, o fim: em poucos anos, menos de dez, após acontecer tudo aquilo que já tinha contado, o próprio povo de Elias avançaria por sobre Sarepta e a conquistaria. O menino a defenderia, mas não gloriosamente. Seria ferido por uma das primeiras flechas do exército invasor, que atravessaria seu globo ocular direito, jogaria sua cabeça para trás e puxaria, com toda força, seu corpo em direção ao chão e à morte. O profeta colocou a mão direita no próprio peito e permitiu que a dúvida o atormentasse: até onde deveria ir a Revelação? Calou-se, por fim. A mãe do menino, à espreita na sala, aguardava. Elias o contemplava com as palmas das mãos suspensas, até que o jovem se mexeu.

A aldeia celebrou o Deus de Elias, um Deus que devolve os mortos. Quando o chamaram para visitar outro recém-falecido, dias depois, o profeta ainda guardava as feridas deixadas por aquele milagre. Ao chegar na segunda casa, Elias repetiu o mesmo ritual, desta vez diante do corpo de um dos mais idosos e importantes líderes de Sarepta. Não havia muito que ensinar a ele acerca da vida que teria, caso decidisse voltar; pouco se poderia dizer dela e o maior elogio a essa vida seria afirmar: existe.

Horas depois, já expulso da cidade, Elias, errante, passará os dias seguintes tentando descobrir quem não foi convencido pelas revelações: o homem idoso, ou ele próprio".

*

A lama, as pedras e uma mão aberta, enterrada. Não chove mais. Dois cachorros famintos procuram alguma coisa no meio dos destroços: é difícil distinguir o que seja cano, palhas de coqueiro, madeira, tijolos, raízes; tudo foi transformado em uma mesma tonalidade, mistura da cor de ossos, da cor de coisas enterradas, da cor daquilo que comprime, acumula. Acima dos destroços, um colchão amarelado se pendura nos fios elétricos. Casas em pedaços: de uma delas, restou apenas uma parede de azulejos brancos, que estão cobertos com lama, como tudo o mais depois que a água, endemoniada, invadiu as ruas. O focinho de um dos cães empurra os dedos enlameados. No dedo indicador, é possível, ainda, enxergar a aliança, na qual se encosta o nariz do animal. Ele cheira, cheira, cheira. Até sua boca se abrir no momento em que os gritos podem ser ouvidos.

*

A poeira levantou do balcão, quando Teresa largou os livros da biblioteca. Petrúcio não se mexeu. Nada indicava que tenha prestado atenção à chegada das crianças, conduzidas por Teresa até o quintal. O pequeno mercado tinha falido há anos; Petrúcio arrastava a loja de aviamentos como um segundo corpo, atrás do qual se escondia todas as manhãs, de segunda até sexta. Teresa sustentava a casa com um emprego na biblioteca municipal e a ajuda dos filhos.

Depois do almoço — sua esposa deixava a comida na mesa —, ele saía pela cidade, mas sua caminhada, as pessoas diziam, não era igual a dos doidos. Petrúcio passeava como um homem que sabe onde vai chegar. "Vou fazer uma cópia da chave de casa", "vou fazer uma fezinha" — seus passos seguros pareciam dizer. No entanto, ele nunca chegava. Nunca encontrava.

À noite, voltava para casa, sentava na sua poltrona e fumava. Somente ao entrar no quarto reencontrava Teresa, que todas as noites lia antes de adormecer. Quando o livro se fechava — palavras amolecidas pelo sono, transformadas em algo menor do que o som mais discreto — e as páginas carregavam consigo a única luz ainda acesa na casa, a luz do abajur, Petrúcio desviava o olhar do teto.

Teresa não aguentaria mais viver sozinha naquela casa, - Durante duas sextas-feiras no mês, era a vez das crianças, liberadas da aula do dia caso frequentassem aquelas contações. Após encontrá-las na frente da biblioteca, as conduzia até o quintal da casa, onde sentavam, davam risadas e balançavam os braços; à medida que Teresa contava as histórias — com livros na mão ou a partir do que se lembrava dos causos que ouvia quando criança — elas se aquietavam. As comadres fulozinhas, as assombrações, os santos, as princesas, as pedras encantadas, os dragões e os mouros, os perigos de espada, de morte e de amores, as metamorfoses e as asas abertas no céu, uma multidão preenchia a tarde.

III

TERESA: "Elias está idoso e este é o seu último milagre. Ao chegar a uma aldeia distante, nas fronteiras do reino, uma família pede que se encontre com um homem chamado Trasilau. Comerciante honesto, Trasilau enlouqueceu sem explicação. Súbito castigo de Deus, quem sabe: que Elias pudesse interceder junto ao Senhor a fim de resgatá-lo da loucura, foi o que pediu, humilhando-se, a família do insano, comprometida a realizar incontáveis hecatombes e louvores ao Senhor. Trasilau dizia que era um rei e que sua própria sombra cobria as montanhas, as estradas, os muros da cidade — seu reino, gritava Trasilau, estava em tudo que se respirava! Elias partiu da cidade e foi encontrá-lo embaixo de uma figueira próxima à aldeia. Quando o profeta chegou, ele dançava sem roupa ao redor da árvore, entoando louvores. Seu rosto estava sereno e feliz. Tinha construído, com pedras empilhadas e amarradas entre si, duas construções rudes que se assemelhavam a um trono e a um altar. Elias ignorou aquele rei, arrancou pequenos galhos das árvores próximas e deu uma surra em Trasilau: 'Acorde, homem!'. Neste momento, o Senhor devolveu-lhe os olhos. Acuado, de cabeça baixa e com a pele ferida, Trasilau, que mal podia conter o choro, recolheu seus pertences. Como se sua dignidade tivesse se restaurado em um piscar de olhos — um segundo milagre —, ainda nu, Trasilau se colocou na frente do profeta e disse: 'Profeta inimigo! Por que me tirou o único reino que não pesa na cabeça dos homens?'. Elias não respondeu — seu corpo já subia, igual a um raio, até o centro dos céus, sequestrado em uma carruagem de fogo".

*

A lama, as pedras e uma mão aberta, enterrada. Não chove mais. Dois cachorros famintos procuram alguma coisa no meio dos destroços: é difícil distinguir o que seja cano, palhas de coqueiro, madeira, tijolos, raízes; tudo foi transformado em uma mesma tonalidade, mistura da cor de ossos, da cor de coisas enterradas, da cor daquilo que comprime, acumula. Acima dos destroços, um colchão amarelado se pendura nos fios elétricos. Casas em pedaços: de uma delas, restou apenas uma parede de azulejos brancos, que estão cobertos com lama, como tudo o mais depois que a água invadiu as ruas, endemoniada. Há muito alagamento. Aquele trecho à direita, que se observa, é um rio recém-nascido cheio de pedaços de tecido e de sapatos, misturado a centenas de livros; uma só massa morta, pastosa. O focinho de um dos cães empurra os dedos enlameados. No dedo indicador é possível enxergar a aliança, na qual se encosta o focinho do animal. Ele cheia, cheira, cheira. Até sua boca se abrir no momento em que os gritos de Teresa podem ser ouvidos, afastando-os do corpo de Petrúcio. Ajoelhada, ela limpa o rosto do marido com papel sujo, manchado, apagado, borrado, amassado, rasgado; papel-mortalha.

Ali, Teresa vomitou os pássaros.
Sobem ao céu como urubus.

*

Quando tenta ler dentro do seu quarto, durante as tardes, os pássaros começam a cantar muito alto, abandonam os postes e os fios e se lançam para dentro do apartamento; Teresa larga o livro e corre para fechar as janelas e a varanda; eles ainda insistem, batem suas cabeças no vidro, arranham, agitam as asas, espalham penas pelo ar. Teresa desiste da leitura, retorna ao seu quarto e se deita.

Não consegue se concentrar na televisão ou nas músicas do rádio. Restam a rua e as despedidas do sol. Os vizinhos chegam do trabalho e dos afazeres que São Paulo lhes exige; Teresa, entretanto, não os enxerga. Quando seu filho chega, geralmente da sua esposa, já é àquela hora da noite em que o trânsito desacelerou. Ele a toma pela mão, suspira e a conduz com todo o cuidado até o quarto dos fundos. Acende a luz e, depois que Teresa se deita, acaricia os cabelos dela. Cobre-a com um lençol branco, coloca o livro inseparável no colo da mãe e por fim diz:

— Boa noite.

*

Os pássaros abandonam a rua e se alegram em flutuar, cardume espesso, matilha-novelo, acima da cidade.

DESAPARECIDO

Um homem descalço — a partir daqui, seu nome é Caetano — arrastava, em suas andanças pela cidade, seus únicos pertences: dois lençóis grossos, a mochila rasgada com roupas, uma sacola cheia de latas. Sua companhia, uma cachorra, que ele talvez chamasse:
— Balela, balela.
Talvez não. É que o homem tinha uma mania de palavras, que volta e meia grudavam na ponta da sua língua e saíam quando queriam. De qualquer forma, chamemos de Balela a cadela. Um bicho corpulento, pontudo e amarelado. Ao homem, devia gratidão eterna, porque a tolerava. Nenhum dos dois sabia há quanto tempo sobreviviam juntos. Para ela, essa coisa do tempo, dos números do calendário bem arrumadinhos dentro de caixinhas, eram instantes que se

sobrepunham uns aos outros e em ritmo repetido, mas com uma percepção de novidade já esvaziada.

Quanto a Caetano, bem, tudo tinha se tornado por demais áspero. Existia dia, existia noite; existia frio e fome; existia o sono. Tinha desistido, por escolha própria, ou por necessidade, de um nome ao qual pudesse tomar para si. Havia, nele, Caetano em excesso. Aquele homem era denso e transtornado, estrela opaca.

E as pessoas passam como sombras. Precisa de grande esforço para discernir tantos rostos: como é possível existir alguéns por aí, solto nessa arena? Sombra após sombra após sombra — cada uma delas existia, sem mais nem menos? Como? Só pode haver uma inflação de seres na arena, concluía (nos momentos nos quais conseguia concluir algo). Nem o Senhor aguentava.

*

Água dava pra achar. Comida, nem sempre. Mas muita coisa sobrava pela cidade. Um papel marrom, com um M gigante impresso, cheio de batata fritas e um hambúrguer mordido. Feijão, arroz e carne misturados dentro de uma quentinha. Pão de anteontem. Bolo. Um urso polar, barrigudo com gás carbônico, na tarja da garrafa de plástico. Caetano vagava pela cidade sempre à procura. Fuçava latas de lixo não apenas para catar plástico, papel ou alimento. Buscava algo mais; um avesso. Certo dia, Balela começou a latir diante de um muro, onde alguém tinha colado uma dezena de lambe-lambes. Caetano acalmou sua amiga, balançou a cabeça, várias vezes, coçou a barba. Aproximou-se de um dos lambe-lambes. Esticou o braço, tocando a imagem com o cuidado que teria ao se aproximar de uma chapa aquecida. Nela, um homem jovem tinha se enterrado em um buraco. Com os olhos fechados e a cabeça abaixada, as mãos do jovem seguravam a cabeça morta de um bode, cuja testa encostava na sua. Comunhão, estava escrito. O dedo mindinho de Caetano deslizou por cima de cada letra da palavra.

Também lhe fascinavam os pregadores da palavra do Senhor na rua. Os da Sé, por exemplo. Ouvia todos com atenção. Não creio que se interessasse pelo Evangelho, porque seu reino já nem estava ali, de qualquer forma. Observava-os com um olhar de quem um dia fascinou multidões. Reproduzia seus gestos, corrigia as palavras, criando uma pantomima de passes mágicos.

Dia desses, cismou com a tigela de ração de Balela. Suspendeu-a no ar; colocou-a de cabeça para baixo; bateu o objeto algumas vezes no chão.

Já teve problemas com a polícia. Decidido a investigar a parte inferior de uma viatura, se deitou de bruços no chão, ao lado do veículo, e não mais levantava. Quando os PMs tentaram retirá-lo, abraçou-se a uma das rodas e ali ficou, enquanto Balela latia em um misto de fúria e incompreensão, próprio aos cães. Houve quem filmasse. De repente, se levantou (parte do público recuou), reconectado a algo que lhe dizia respeito, profundamente. Durou poucos segundos, talvez. Balela silenciou. Caetano recolheu seus pertences e caiu fora.

*

O que existe do outro lado da persiana?

A avenida nada aparentava de especial. Havia chegado até ali de madrugada, horas de uma caminhada intensa, as palavras acumuladas na cabeça. O frio incomodava e uma neblina dificultava a observação das esquinas e dos pontos solitários dos ônibus. As luzes dos faróis, dos sinais de trânsito, os neons, as janelas ainda acordadas, toda a luminosidade dos quarteirões estava mais densa. O ar tinha gosto de vinagre e escapamento. Caetano olhava com dedicada atenção os quarteirões e as edificações ao seu redor. Por vezes chegou a interromper a caminhada — Balela não gostou das pausas, abanou muito o rabo, latiu. Imóvel, ombros curvados, o que ele enxergava? O que tinha encontrado?

Encontrou o comitê eleitoral no momento em que a neblina na avenida se dissipou um pouco. Um coletivo acabava de passar, seguido por dois carros pequenos. Caetano olhou à sua esquerda; depois, à direita. Para qualquer direção observada por ele, o cenário seria igual: metros de concreto pichado, muitas pedras e paradas de ônibus, poucas árvores, que pediam lhe desculpas. São horizontes confusos, empilhados sobre si próprios, que limitam a visão. Caetano não gostava de avenidas com tantas faixas duplas. Caminhar nelas não lhe dava certeza alguma e um passo para frente podia ser ao mesmo tempo um passo para trás.

Nenhum muro protegia o comitê eleitoral, que funcionava em uma edificação de três andares, suas paredes coladas aos também pequenos prédios que lhe eram vizinhos. A larga e única janela tinha sido coberta, no interior, por uma persiana. Ao lado da janela, uma porta trancada e também coberta por persiana. O trecho da calçada do comitê foi transformado em duas vagas, àquela hora desocupadas, de estacionamento. Ao lado da janela, a sigla do partido; abaixo da sigla, um símbolo. Balela queria seguir adiante, mas Caetano a puxou pela coleira:

— Balela, balela, balela! — Gritou, coçando a cabeça. Ela choramingou um pouco e depois se calou.

Caetano largou as coisas no chão; respeitoso, se aproximou do comitê. Não deu bola para a sigla, ou para o símbolo do partido. Depois de tanto tempo na rua, depois de tantas caminhadas... Era um barulho que ouvia? Lá do interior do comitê? Só podia ser a sua imaginação. Na sua cabeça, nasceu a imagem de um rei adormecido. Deitado do outro Lado, escondido dos olhos mortais, sua espada encantada repousava ao longo do corpo. Um cortejo de flores e folhas recheava o caixão do rei barbudo, abrigando-o com delicadeza. Encoberto pela escuridão, ele na verdade dormia? Caetano quis derrubar a porta! Mas cabia ao Rei acordar assim, de supetão? Com as mãos espalmadas na janela, Caetano pressionava o próprio rosto contra o vidro; velava, os olhos esbugalhados, o sono do Rei; seus lábios comprimidos contra a janela.

Balela cheirou a perna dele e a lambeu. Caetano se afastou um pouco, fez carinho na cachorra e se preparou para dormir.

*

O conflito com o sol é diário.

Insiste em cutucar Caetano, puxar suas orelhas, lançar luz sobre a sua cabeça. A boa notícia era que a manhã, muito fria, ressurgiu não com um céu aberto e azul, mas sim com muitas nuvens cor de gelo, cuja teimosia barrava o sol na esquina do dia. Balela lambia o rosto de Caetano, faminta. O homem levantou, mexeu na mochila e encontrou o restinho da ração. Dividiram. Continuou com fome e muita sede: onde acharia uma torneira? Daí ouviu uns cânticos e se animou, pois uma das dezenas de prédios baixos, a ocupar os quarteirões próximos, devia ser uma igreja. Em poucos minutos de caminhada, encontrou-a. Aparentava ser uma denominação pentecostal, que tinha alugado o salão do que no passado fora uma loja, ou uma oficina mecânica. O interior do local de culto se separava da rua por uma parede de vidro. Caetano se postou lá na frente e esperou. Não demorou em que um dos auxiliares do culto, vestindo terno e gravata, saísse e o abordasse.

Voltou satisfeito: sentado outra vez na frente do comitê eleitoral, se esbanjou com uns biscoitos e uma garrafa plástica cheia de água. Após devorá-los, o sono chegou e Caetano se deitou. Antes de fechar os olhos, o Rei tinha desaparecido.

*

No meio da tarde, se levantou. Balela estava nos arredores, fuçava alguns lixos e mijava nas quinas do quarteirão. Caetano, por sua vez, se sentou com o rosto voltado para o comitê. Atrás da persiana, vislumbrou um banquete. Ao redor de uma mesa farta, redonda, giratória, espiral, um grupo bebia e cantava. As vozes falavam em um tom alto e incompreensível; havia risadas em abundância, muita alegria. No centro, uma ave — peru, chester, ou frango — assada, um exagero de carne. O banquete enchia o comitê de um perfume que misturava churrasco e aromas adocicados. Cravos e pimentas foram usados no seu preparo, sem dúvida. Caetano achou o banquete lindo. No entanto, a ave assada começou aos poucos a se mexer; logo a comida estava frenética, sacudindo-se.

— Balela!!!

O interior da ave, costurado, se rompeu. Caetano avistou, em êxtase, centenas de pássaros, das mais diversas colorações, escaparem dos interiores da ave assada. As criaturas dançaram em círculos ao redor de Caetano; ele riu e bateu palmas. Os pássaros se dividiram em faixas paralelas, ao longo do seu voo; os tons mais avermelhados, por exemplo, passaram a voar juntos e cada faixa de cor girava no sentido oposto da que lhe era superior. Eram tantas cores que lhe deu quase tonturas! Girando e girando e girando, porém, elas se misturaram até ficarem em uma mesma brancura.

Tão rápidos quanto chegaram, os animais sumiram. Balela, sentada no chão, a língua para fora, o admirava. A tarde ficou espessa: cada objeto, pessoa e automóvel foi afixado em uma posição definitiva. Caetano se levantou, impressionado. Em poucos instantes, cessou qualquer tipo de movimentação — após estalos e tensões, a geometria de tudo estava realinhada. O tom cinzento e o frio — a argamassa. Estava morta, a paisagem? Parecia bem mais uma desistência.

*

A caminhada da multidão o assustou; Balela, ansiosa, latia muito e balançava o rabo sem parar. A noite trouxe consigo milhares de pessoas, que ocupavam uma das faixas daquela avenida. Carregavam cartazes, faixas e repetiam frases. Caetano não fazia ideia sobre o que protestavam, ou o que tudo aquilo significava. Reconheceu, porém, um fato que lhe dava ânsias na barriga: lá estava a Polícia Militar.

— Balela, balela...

A maioria dos manifestantes era jovem. Os policiais os encaravam com escudos e armas. Caetano esticou a mão, talvez porque quisesse dar um aviso, talvez porque desejasse esboçar uma recomendação, contudo nada podia ser entendido. De repente, as bombas estouraram — gritos, correria; tosse e fumaça. Explosões de luz, aqui e ali: o chão zumbia. Balela enlouqueceu e deu voltas ao lado de Bob. Encolhido, ele viu pedras, destroços e corpos caírem; alguém apontava em sua direção. Balela?! Levantado, veio a pancada na cara, o cassetete nos rins. Um gosto de sangue, muita dor. Pancadas. Nos desenhos animados, quando caímos, surgem uns passarinhos ou uma órbita de estrelas ao redor da nossa face, não é mesmo? Ali só houve tempo para o chão.

Acordou e cuspiu um dente. O céu da manhã seguinte, azul; o sol castigava a avenida.

Doía-lhe o corpo.

— Balela? Balela?

Nenhum sinal. Havia um bichinho de pelúcia, apenas, largado no chão; a cabeça rasgada, recheio de espuma escapando.

Caetano estava sozinho.

Fraquejou, e por fim se ergueu. A janela do comitê tinha sido quebrada. Abaixo dela, outra mancha; um rosto desmanchado, uma nuvem?

O símbolo do partido fora pichado. Abaixo dele, palavras cheias de letras. Mancando, os olhos ainda molhados de saudade da cachorra, Caetano se aproximou das novas palavras na parede. Não fazia ideia do que aquilo significava.

Percebeu que a porta do comitê estava aberta. Pessoas se moviam ali dentro, do outro lado. Entrou sem hesitar. Duas senhoras negras recolhiam cacos de vidro no chão. Outras três pessoas, um homem moreno e duas senhoras brancas, organizavam alguns papéis nas suas escrivaninhas, todas equipadas com computador e telefone. Quando Caetano entrou, houve uma preocupada troca de olhares.

— Meu Deus... — Disse uma das mulheres que arrumava os papéis, impressionada com aquele corpo desfigurado.

Ela olhou na direção de um cartaz pendurado em uma das paredes, no qual havia a foto de um senhor, cujo nome ecoava poder e importâncias. Mais importante do que qualquer nome, no entanto, era a frase abaixo de tudo: "Desaparecido". Caetano caminhou com dificuldade, sem que ninguém quisesse impedi-lo, o cartaz mais próximo a cada passo.

Os olhos impressos na foto o amedrontavam.

Apesar disso, afundou as mãos naquela face.

Afastou as margens.

E mergulhou.

LEVIATÃ

Faustine na planície

Dali de cima, olhando através das nuvens, nenhum deus percebe o quanto o mundo é cheio, não é Lucas? Há algumas semanas, fui contratada por uma ONG para ministrar oficinas de texto para os desalojados da comunidade de Lagoa D'Água. As notícias da desocupação da comunidade e tudo que aconteceu estão por todo lugar. A Daniela, uma mulher alta, negra, com *dreads*, me esperava no ponto de encontro marcado: uma escola pública da rede municipal, que tinha se transformado em um dos abrigos dos refugiados. Nos conhecemos da época da ECA e fomos colegas de movimento estudantil. Minha contratação tinha acontecido por intermédio dela. Almoçamos numa feijoada beneficente, organizada por uma associação de moradores de um dos bairros vizinhos a Lagoa D'Água. A primeira coisa foram as cobranças. Onde eu estava na luta? Por que eu tinha sumido? Falei do meu avô, da morte dele, entre outros problemas. E também disse: tô cansada, Daniela. Nada muda, defendi. Obedecemos às leis por força e por hábito; é ilusão pensar que qualquer nova lei ou instituição será muito melhor do que a antiga. Agenda política? Só vejo brigas de famintos pelos farelos da mesa do Rei. O homem é mau e fraco, concluí. Eu sei, Lucas. Ainda quero fazer algo. Só não sei para onde vou. Contudo, antes que eu pudesse explicar isto para ela, Daniela já tinha se chocado o suficiente. Eu a entendo. Ela gosta da possibilidade do amor. Ela quer acreditar. Se concordarmos ser o mundo mau e injusto, ela insistiu, por que não tentar outra vez, de outra forma? Como continuar na mesma vidinha? Torre de marfim, ela repetia, temos que derrubar a torre de marfim. Se todos fizerem a coisa certa... Só que ninguém acerta do mesmo jeito; ninguém tem que "acertar" do *seu* jeito, respondi. E percebo que falei isso com impaciência, porque Daniela suspirou e não insistiu mais no assunto.

A maioria dos habitantes de Lagoa D'Água foi alojada na quadra da escola. O restante foi amontoado nos corredores e nas salas de aula. Outras famílias, agrupadas em igrejas evangélicas e na igreja católica mais próxima. Na escola, faltava tudo. Remédios, água, comida, assistência psicológica. Os banheiros estavam em uma condição precária. Nas tendas armadas do lado de fora, brigas, filas, queixas.

Ao chegarmos, encontramos na entrada da maior das quadras três crianças. Uma delas, a menor, chupeta na boca, sentava em cima de um tijolo quebrado. Fomos ignorados por ela. Tentei sorrir e criar alguma interação; nada. Mas muitas outras brincavam. Havia bolas, um parquinho e espaço. Muito espaço. Daniela me apresentou a algumas lideranças da comunidade e vários dos desalojados. Falei principalmente com as mulheres. Depois, conheci a turma mais próxima da Daniela, o pessoal diretamente ligado a partidos e aos movimentos sociais. As conversas trataram de advogados, tribunais internacionais, direitos humanos, articulações, *impeachment*. Eu tentava interagir, mas sabia o que queria. Eu queria ver terra.

Apesar da avenida ao nosso lado, apesar dos automóveis, apesar dos prédios, de uns morros mais adiante, apesar das casas e dos comércios, eu sabia, Lucas, eu senti, ao pôr meu pé no terreno da desocupação, eu senti que... Me chamou atenção umas árvores carregadas de frutas. Havia bastante entulho aglomerado: tijolos, plástico, papel, rastros de fogo. Vidro e pedaços afiados ao lado dos tratores. Entretanto ainda era possível dizer: "Aqui foi Lagoa D'água". Daniela tentava reatar comigo a comunicação. Nos atualizamos dos últimos namoros; me falou que estava morando junto com um cara e tudo caminhava bem. Estou quase culpada de tão satisfeita, disse. Caía um chuvisco: vi que isso era bom. A tarde partia. Lá na frente, encontramos um visitante. Era um fotógrafo gringo, de alguma agência internacional. Ele coletava pedaços de bonecos deixados para trás pelas crianças. Uma mão ali, uma cabeça vazada e parcialmente queimada, um abdômen, outra mão. E mais uma perna. Trocamos algumas ideias rápidas. Depois nos despedimos. Já um pouco distante, olhei para trás, na sua direção e vi quando ele amontoou tudo no chão e decidiu tirar uma foto.

Daniela me perguntava: está bem? Está bem? Fiz um gesto afirmativo e peguei uma pedra qualquer. Um tempo que julgo longo transcorreu enquanto eu esfregava minhas digitais na pedra, tentando memorizar cada irregularidade, cada pixel. Uma pedra barata, um pedaço de rosto. Mordi os lábios enquanto contemplava, resignada, as minhas mãos se transformarem em pedra, em areia, em pontos. Aquilo que está embaixo está acima: enxerguei a todos nós distantes, a circunferência achatada rodopiando em meio a uma escuridão esculpida a partir das sobras dos deuses. É desta achatada circunferência que parte um grito; o grito perfura a atmosfera e se cristaliza em contato com o frio sideral. As cristalizações, inquietas, impróprias, rodopiam em torno do próprio eixo. Tudo se arrasta, sem tempo algum. Aí algo se inclina sobre as Profundezas: há uma luz no vazio. Há uma luz sem rei. Me vi apontando as coisas, mas de um jeito discreto, desconfiada de Daniela. Me vi apontando as coisas para dizer os nomes verdadeiros. Isto é isto. Aquilo é aquilo. Este é este. Você vai se chamar "Ela". Você vai se chamar "Ele". Mas apontar e nomear para interagir com o quê? Além disso, só enxergava geometrias: as retas, os pontos que se comunicavam com outros pontos, os círculos irregulares, os conjuntos de triângulos, as intersecções. E a luz. Que escapava do fim da tarde através de capilaridades. Houve um último minuto antes que a luz nos abandonasse. Diante dos meus olhos, uma planície, abstrata, muda, se revelava e a tudo envolvia, dando inclusive voltas sobre si mesma. Escutei um ruído nos segundos finais. Um barulho pertencente aos interiores do corpo, um barulho de uma coluna vertebral se partindo, mas o que se partiu em mim, Lucas, o que se quebrou foi mais da consistência dos sopros.

Eu estava seduzida, seduzida, mas... Mas graças a uma lucidez passageira, despertei com o toque no meu ombro.

NATANAEL E O RIO

Quando Natanael chegou, a primeira pergunta que se fez foi: "estou no lugar certo?". O taxista não conseguia entender por que meu amigo queria descer naquele ponto aparentemente aleatório da Marginal Tietê.

Meu amigo se encontrava em pé no estreito acostamento de terra, que logo se transformava em um declive de concreto descendo até as margens do rio morto-vivo. Para evitar o mau cheiro, seguiu o conselho de Faustine e pôs a mão no bolso, retirando um lenço perfumado com essência de baunilha. "Ah", Natanael inspirou, enquanto carros e helicópteros martelavam. Não demorou muito e encontrou aquilo que procurava: a bandeira branca, acoplada a uma boia que flutuava nas águas. A sua ponta caída escurecia no rio. Estava tudo certo, então.

Natanael fez uma careta: a baunilha tinha o efeito colateral de acentuar o buquê de ovos podres da Marginal. Não havia outro jeito a não ser cheirar o pano cada vez mais forte, os olhos fixos em direção a uma imensa pilastra de concreto, uma das inúmeras a compor o viaduto próximo. Daquele ângulo e àquela distância, o viaduto dava a impressão de ser a paródia de algum animal extinto.

*

— E como foi a abordagem prévia, Natanael? — perguntei.
— Consegui os contatos dele com amigos jornalistas, daí liguei, escrevi *e-mails*. Me referi a vocês do meu projeto? Estou escrevendo um livro, mas algo que vai juntar muitos tipos de escrita, daí eu escolhi esse cara pra ser o centro de tudo.
— "De tudo"?
— Sim, Faustine. O plano era mergulhar com ele no rio Tietê.

Natanael não conseguia esconder seu contentamento diante da nossa surpresa, misturada com uma sensação de nojo.

— E você fez isso? — perguntei, enquanto enchia meu cálice.
— Claro, Lucas. Como nos velhos tempos.
— Velhos tempos?
— Faustine, você sabe muito bem que sou um mergulhador.
— Desculpe, Natanael, mas nesses anos todos aqui

morando contigo eu nunca, repito, nunca te ouvi falando nada sobre isso.

— Pois saibam que fiz cursos de mergulho, já viajei pra mergulhar. Esse ano, antes de combinar tudo com ele, me preparei, meses antes, com um novo curso.

— E quando o senhor fez esse curso, Natanael?

O interrogado deu de ombros e respondeu a Faustine:

— Este ano.

— Exatamente quando? — Ela insistiu.

— É mesmo. — Falei. — Não me lembro de você falar desta história, ou de qualquer curso de mergulho, Natanael.

— Eu só queria saber se esta é mais uma das suas, Natanael.

— Das "minhas", Faustine?

— De qualquer forma, parece uma boa história. — intervi.

— O que exatamente você está sugerindo, Faustine?

— Sugerindo? Eu digo com toda a certeza: há certos, como dizer... Voos de imaginação em suas histórias, Natanael.

— Absurdo. Toda história que se conta é verídica.

*

Ele continuava a observar as partes metálicas do viaduto. Sabe quando vamos, teria, se bem recordo, exemplificado Natanael, para uma praia, ou para um lugar turístico qualquer, e sempre tem um artesão vendendo objetos como, por exemplo, um Dom Quixote feito de peças antigas retiradas dos mais diversos aparatos mecânicos, ou um castelo construído apenas com espinhas de peixe? Depois de se cansar do viaduto, ele voltou a sua atenção para o outro lado do rio, no qual o conjunto de arranha-céus da região também o remeteu àquele tipo de artesanato, ou aos cenários de papelão e isopor da série original do *Star Trek*, aquela com o cara das orelhas pontudas. O rio, por sua vez, corria lento e oleoso. Coloridos fios gordurosos escorregavam e refletiam cores do arco-íris. No entanto, apesar da meia vida, Natanael sentiu que a qualquer momento dali do fundo uma revelação aconteceria — o Tietê abriria as próprias entranhas e cuspiria de volta alguma coisa exilada.

De fato, a água se agitou: círculos se sobrepuseram uns sobre os outros e produziram centenas de bolhas; logo, uma presença emergiu da água maciça; e a presença era um corpo, o corpo de um homem, que nadou até se aproximar da boia. Agarrou-a e depois começou a subir, sem dificuldade, o declive, se movendo em linha reta em direção a Natanael. O explorador, vamos chamá-lo deste modo, trajava uma roupa preta feita de algum material lembrando a borracha. Seu rosto estava protegido por um capacete dourado, porém nada revelava da face; no lugar da boca, um constructo-válvula arredondado; no lugar dos olhos, dois círculos de vidro; no alto do capacete, uma lanterna ainda acesa. Na mão direita, segurava um objeto parecido com uma pistola. A mão livre fez uma saudação pacífica. Natanael não se moveu. Logo o mergulhador estava na sua

frente e colocava no chão os tubos de oxigênio. Só depois disto retirou o capacete. Por baixo da roupa havia um homem moreno, gordo, de cabelos curtos e secos. Após tirar as luvas, estendeu a mão para Natanael:
— Batista. Você deve ser o escritor?
— Mais ou menos.
E apertaram as mãos.
Carros buzinavam. Natanael notou, para sua surpresa, que alguns buzinavam para os dois. Apontavam na direção de Batista. Acenavam, tiravam fotos. Em troca, ele sorria, balançava discretamente a cabeça, fazia um sinal de legal. Percebia-se, porém, crianças, encenavam uma pose. E as pessoas nem precisavam sair dos seus carros para fotografar — o tráfego estava realmente encorpado. — Parece que você está famoso, não é?
— Pois é. — Batista abaixou o rosto. — Mas é meio por isso que você está aqui.
— Sim, sim.
— Gostou das respostas pra tua entrevista?
— Sim. E agradeço por me receber no seu... Lugar de trabalho.
O mergulhador mirou o rio.
Mais buzinas.
— E então, quando mergulhamos?
— Este não é lugar de amadores, rapaz. Simpatizo com teu jeito e muito obrigado pelo interesse, mas...
— Eu tenho experiência.
— Sim! Mas uma coisa é Caribe, Fernando de Noronha, outra bem diferente é isso tudo.
(Neste momento, Faustine me deu um cutucão).

— Talvez fosse bom, Natanael, umas aulas antes. Te dou umas aulas teóricas e fazemos uns treinos.
— Batista, não seria perder muito tempo?
— Tempo? É uma pena. Olhe, aqui... — Apontou o rio. — Se perde e se acha de tudo.

*

Se acreditarmos em Natanael, a grande lição das aulas frequentadas na escola de mergulho onde Batista ensina é: "lá embaixo, toma cuidado com o medo". Para mim e Faustine, ele fez questão de enfatizar o quanto os seus colegas e o próprio Batista teriam se impressionado com sua "extraordinária capacidade aquática" (*sic*). Tanto talento, porém, não evitou a ansiedade:

— Era completamente seguro, apenas um ou outro mergulhador se machucava e, em casos raros precisava amputar algo. Mas eu pensava a todo instante: o que tinha no rio?

Na noite anterior ao suposto mergulho, acordou com um pesadelo: eram duas da manhã do pior verão dos últimos tempos. A garganta ardia. Natanael deu alguns soquinhos no ventilador — o vento morno aliviou seu rosto e seus cabelos ensopados. Vai ser rio cheio, pensou, preocupado.

*

— Batista... Já encontraram algum bicho, algum animal, por aqui? Não me lembro de você mencionar isso.

Na beira do rio, os dois se aprontavam.
— E então?
— Uma desse tamanho. — Batista disse, por fim, abrindo o máximo possível os braços. — Uma cobra imensa...
— Uma... Cobra?
— Forte como um jacaré! Branca, albina. Achamos faz alguns meses.
— E o que ela caçava *aqui*? Ou estava perdida?
Batista soltou uma gargalhada:
— Que nada, rapaz. Aí embaixo, o que só tem é um tipo de peixe ruim, o único que não morre. E não morde. Já vi também umas capivaras, mas não nesse ponto. Sim, e rato, claro, aqui pelas margens e nas bocas dos canos, né?
Lá, bem na casca da água, bolhas e espirais estouravam.
Suas duas mãos agarraram os ombros franzinos de Natanael:
— Pra um mergulhador, medo chama problemas. Quer dizer... Um pouquinho de medo faz bem. Medo de se machucar, ou medo da morte. Tem que se cuidar. Mas um medo maior, um medo assim mais de alguma coisa, um medo de expectativa, esse daí você joga fora, rapaz!
Examinou a roupa de Natanael de cima a baixo: estava tudo certo. Testou, duas vezes, a lanterna acoplada nos capacetes.
— Aparentemente tudo em ordem. — comentou.
— Estou pronto.

Em resposta, Batista apontou na direção de novas bolhas e nada disse.

Entraram n'água aos poucos, pedindo licença. Os braços, primeiro próximos ao corpo, aos poucos se sentiram à vontade e se soltaram. O rio alargava à medida que avançavam. Logo, não havia nada abaixo dos seus pés; durante um ou dois segundos, o corpo de Natanael foi vítima de alguma espécie de turbulência até finalmente se equilibrar. Batista, mais à frente, se virou em sua direção e fez um sinal; em resposta, Natanael repetiu o gesto do mergulhador, que novamente deu as costas para meu amigo. A matéria escura apagava, centímetro após centímetro, Batista. Natanael, como a mulher de Ló, olhou à sua volta. A luz dos prédios vazou direto por dentro de seu visor — espinhos metálicos e os ossos de cimento e rajadas e a água estacionada. As mãos, soltas, tentaram se agarrar em algo sólido.

— Calma, calma.

Não havia mais ninguém em meio às águas. Natanael mergulhou. Os olhos fechados, apesar da viseira. Seu corpo, à deriva, deslocava pesadas placas — rajadas de luz contraídas. Ao abrir os olhos, nada enxergou.

Foi este ponto da sua história que me remeteu a uma visão da época na qual morei no Recife. Durante específicos meses do ano, a região da antiga alfândega, ali pela igreja da Madredeus, ganha uma curiosa atração turística. Embaixo de uma das pontes que conectam uma ilha do centro da cidade à outra, desde a década de 80 morcegos decidiram fazer morada. Deste modo, uma diária aglomeração de recifenses e turistas se forma tanto na passarela de pedestre da ponte, quanto às margens do rio Capibaribe, a fim de esperar o sol cair e os morcegos partirem. Enquanto o sol cai, formando uma corola dourada, da cor das cúpulas das igrejas, que irradia certo azul meio esbranquiçado, um azul amarrado ao rosa, os morcegos despertam e começam a despencar do fundo da ponte. Girando acima das águas, se assemelham a pedaços de papel lançados ao ar por alguma turbina. Observando os morcegos, encontramos casais de mãos dadas, europeus sonolentos, flanelinhas, jovens boêmios, hippies tropicais, *hipsters* tropicais, *yuppies* tropicais, californianos, meninos de rua, advogados, talvez um juiz de direito ou outro, engenheiros, servidores públicos; muitos baterão palmas quando os morcegos se aglomerarem e começarem a explorar a atmosfera — milhares de asas batendo ao mesmo tempo e ecoando um barulho estridente de couro. Quando se cansam de voar perto da superfície, os morcegos se juntam uns aos outros em filas, reproduzindo o traçado e o calibre de artérias; primeiro, se dividem em duas espessas artérias, bem acima das edificações do centro da cidade; por fim, ambas se encontram e seguem num movimento que, ao longe, pode ser descrito como um longo estandarte cheio de fraturas, remendos e buracos; o estandarte, apesar de corroído, conservará um mínimo de estrutura.

    Penso que havia tudo isto no escuro visitado por Natanael. Dentro do rio, meu amigo duvidava se realmente tinha aberto os olhos, ou se conseguiria abri-los.

Por instinto, a mão direita tocou o próprio rosto: sentiu toda a parafernália de plástico e metal. Afundado, movimentos circulares em meio às trevas, uma força o expulsava na direção da luz exterior; seu corpo, porém, reagiu e conseguiu afundar ainda mais. E Batista?

Nenhum sinal.

Tudo estava fechado. Encontraria a serpente albina? Haveria crocodilos? Aqueles crocodilos monstruosos dos piores filmes do mundo e que assombram os esgotos; Tiamat aberta, do pescoço às patas; as sanguessugas; e os jacarés cegos, branquíssimos, cujas presas adquiriram, com o passar do tempo, formatos e tamanhos excêntricos? Nada disso. Nada apareceu. Nenhuma ameaça. Nenhum movimento, nenhuma presença, nenhum Outro. Houve apenas um silêncio de mãos cheias.

Natanael, então, se lembrou da lanterna acoplada em seu capacete de mergulho.

Encontrou todo tipo de objetos acumulados no rio, mas assim que a luz se acendeu, nada conseguiu reconhecer; movia a cabeça e os raios de luz lhe revelavam vislumbres de uma paisagem que Natanael só conseguiu nos descrever utilizando a palavra "carnificina". Algo brilhou na altura próxima ao seu joelho. Uma extremidade metálica, ereta em meio a uma massa formada por plástico, papel e uma substância melosa, estava a ponto de rasgar sua roupa protetora.

*

— Ali embaixo, ali embaixo, eu parecia estar no mais distante futuro, ou no mais distante passado. Me afastei um pouco daquela barra de metal e estiquei a mão para pegar o primeiro objeto que consegui, pela primeira vez, reconhecer: tinha sido construído com uma matéria lisa ao toque e seu tamanho não era grande, pelo contrário, cabia em uma mão humana. O objeto previa um "dentro" e um "fora". Em certo ponto de sua superfície, tinha sido acoplada uma prótese curva, elegante.

— Era uma... Uma xícara? — perguntei.

Natanael se levantou, pegou água na cozinha e perguntou se alguém mais queria vinho ou cerveja. Era madrugada, mas não queríamos dormir.

Ao voltar, disse:

— Foi então que aconteceu a coisa mais estranha. Lembram quando a gente tinha um aquário?

Sim, lembro: um aquário de médio porte, localizado na sala do nosso apartamento. Só havia um tipo de peixinho dentro do aquário, uma espécie pequena e magra; tínhamos vinte destes peixes e o movimento deles me lembrava bailarinos em um picadeiro. Os peixinhos possuíam escamas grises e seus dorsos eram atravessados por uma faixa azul fosforescente; abaixo da faixa neon, o ventre era um vermelho quase caindo no laranja. Gostávamos muito de apagar as luzes da sala (apenas a luz do aquário permanecia acessa), colocar umas almofadas no chão, deitar em cima delas e passar um bom tempo observando o lá--e-cá dos peixes. Voltando ao rio, Natanael afirmou que agarrou um segundo objeto, jogando a luz da sua lanterna sobre ele. Quando o tocou, passou a enxergar minúsculas luzes semelhantes àqueles peixes.

— Eu vi um acúmulo de luzes se mexendo ao redor da minha mão, do meu braço, do Objeto. Eram pequenas partículas e me davam a impressão que tinham sido conduzidas, orquestradas, que havia uma, uma regência ali, uma vontade. É como se existissem ainda as coisas, mas menos cheias de matéria, menos sólidas, com muitos espaços vazios. Aí tudo poderia estar por dentro de tudo, se cruzando, se misturando. Deslizando, sem problema. Porque haveria lugar, porque poderia ter espaço. Daí a luz apagou. E eu pensei: não existe mais nada. Não sei quanto tempo fiquei daquele jeito e não me lembro de ter me mexido um centímetro que fosse. Mas meu corpo ainda era meu e me movi, sei lá pra onde, até porque "onde" não me ajudaria em nada. Isso me acordou. Apalpei tudo ao meu redor. Nadando e apalpando e tentando adivinhar. Tinha recuperado a segurança do meu próprio corpo. Apalpei diferentes tipos de objetos, vocês não fazem ideia do quanto existe no fundo daquele rio.

As mãos de Natanael estacionaram no ar; tive a impressão de um tremor calculado.

Recolheu-as e limpou a saliva dos lábios. Após pigarrear, disse:

— Minha luz do capacete não voltou, mas uma luz apareceu, lá nas profundezas. Mas não fiquei aliviado, ou algo assim. A luz me deu raiva. A luz, essa foi a sensação, não trazia boas novas, ela me devolvia um "onde", ela me devolvia dia e noite. Sem outra escolha, subi.

*

Imaginei o corpo de Natanael surgindo disforme da água. Batista, sentado na calçada, o esperaria com uma garrafa de rum.

    E, na outra margem, o Leviatã.

CRISTHIANO AGUIAR nasceu na cidade de Campina Grande (PB) em 1981 e hoje vive em São Paulo (SP). Formado em Letras pela Universidade Federal de Pernambuco, é professor da Universidade Presbiteriana Mackenzie. Em 2012, participou da antologia *Granta: Os melhores jovens escritores brasileiros* e em 2013 foi escritor-residente na University of East Anglia. Editou, em Pernambuco, a revista experimental Eita! e o site de literatura Vacatussa. Seus contos e ensaios foram traduzidos para o inglês e o espanhol e publicados nos Estados Unidos, Inglaterra e Argentina. Publicou o livro de contos *Ao lado do muro* (2006) e o acadêmico *Espaços e narrativas ficionais: uma introdução* (2017).

Este livro foi composto com as
fontes MERCURY TEXT e DECIMA PRO e
impresso em papel offset 90 g/m²
no miolo e cartão 250 g/m² na capa,
na gráfica RETTEC no verão de 2018.